La Belle et la Bête

Madame Leprince de Beaumont

La Belle
et la Bête

et autres contes

Librio

La Belle et la Bête

Il y avait une fois un marchand qui était extrêmement riche. Il avait six enfants, trois garçons et trois filles ; et, comme ce marchand était un homme d'esprit, il n'épargna rien pour l'éducation de ses enfants, et leur donna toutes sortes de maîtres.

Ses filles étaient très belles, mais la cadette surtout se faisait admirer, et on ne l'appelait, quand elle était petite, que la BELLE ENFANT, en sorte que le nom lui en resta, ce qui donna beaucoup de jalousie à ses sœurs.

Cette cadette, qui était plus belle que ses sœurs, était aussi meilleure qu'elles. Les deux aînées avaient beaucoup d'orgueil, parce qu'elles étaient riches : elles faisaient les dames, et ne voulaient pas recevoir les visites des autres filles de marchands ; il leur fallait des gens de qualité pour leur compagnie. Elles allaient tous les jours au bal, à la comédie, à la promenade, et se moquaient de leur cadette, qui employait la plus grande partie de son temps à lire de bons livres.

Comme on savait que ces filles étaient fort riches, plusieurs gros marchands les demandèrent en mariage. Mais les deux aînées répondirent qu'elles ne se marieraient jamais, à moins qu'elles ne trouvassent un duc, ou tout au moins un comte. La Belle (car je vous ai dit que c'était le nom de la plus jeune), la Belle, dis-je, remercia bien honnêtement ceux qui voulaient l'épouser, mais elle leur dit qu'elle était trop jeune, et qu'elle souhaitait de tenir compagnie à son père pendant quelques années.

Tout d'un coup le marchand perdit son bien, et il ne lui resta qu'une petite maison de campagne, bien loin de la ville. Il dit en pleurant à ses enfants qu'il fallait aller demeurer dans cette maison, et qu'en travaillant comme des paysans ils y pourraient vivre. Ses deux filles aînées répondirent qu'elles ne voulaient pas quitter la ville, et qu'elles avaient plusieurs amants qui seraient trop heureux de les épouser, quoiqu'elles n'eussent plus de fortune.

Les bonnes demoiselles se trompaient; leurs amants ne voulurent plus les regarder quand elles furent pauvres. Comme personne ne les aimait à cause de leur fierté, on disait: Elles ne méritent pas qu'on les plaigne, nous sommes bien aises de voir leur orgueil abaissé; qu'elles aillent faire les dames en gardant les moutons. Mais en même temps tout le monde disait: Pour la Belle nous sommes bien fâchés de son malheur; c'est une si bonne fille! elle parlait aux pauvres gens avec tant de bonté; elle était si douce, si honnête! Il y eut même plusieurs gentilshommes qui voulurent l'épouser, quoiqu'elle n'eût pas un sou; mais elle leur dit qu'elle ne pouvait pas se résoudre à abandonner son pauvre père dans son malheur, et qu'elle le suivrait à la campagne pour le consoler et lui aider à travailler.

La pauvre Belle avait été bien affligée d'abord de perdre sa fortune; mais elle s'était dit à elle-même: Quand je pleurerai beaucoup, mes larmes ne me rendront pas mon bien; il faut tâcher d'être heureuse sans fortune.

Quand ils furent arrivés à leur maison de campagne, le marchand et ses trois fils s'occupèrent à labourer la terre. La Belle se levait à quatre heures du matin, et se dépêchait de nettoyer la maison et d'apprêter à dîner pour la famille. Elle eut d'abord beaucoup de peine, car elle n'était pas accoutumée à travailler comme une servante; mais au bout de deux mois elle devint plus forte, et la fatigue lui donna une santé parfaite. Quand elle avait fait son ouvrage, elle lisait, elle jouait du clavecin, ou bien elle chantait en filant.

Ses deux sœurs, au contraire, s'ennuyaient à la mort; elles se levaient à dix heures du matin, se promenaient toute la journée, et s'amusaient à regretter leurs beaux habits et les compagnies. Voyez notre cadette, disaient-elles entre elles, elle a l'âme basse et si stupide, qu'elle est contente de sa malheureuse situation.

Le bon marchand ne pensait pas comme ses filles. Il savait que la Belle était plus propre que ses sœurs à briller dans les compagnies. il admirait la vertu de cette jeune fille, et surtout sa patience: car ses sœurs, non contentes de lui laisser faire tout l'ouvrage de la maison, l'insultaient à tout moment.

Il y avait un an que cette famille vivait dans la solitude, lorsque le marchand reçut une lettre, par laquelle on lui marquait qu'un vaisseau sur lequel il avait des marchandises venait d'arriver heureusement. Cette nouvelle pensa tourner la tête à ses deux aînées, qui pensaient qu'à la fin elles pourraient quitter cette campagne, où elles s'ennuyaient tant ; et quand elles virent leur père prêt à partir, elles le prièrent de leur apporter des robes, des palatines, des coiffures, et toutes sortes de bagatelles. La Belle ne lui demandait rien ; car elle pensait en elle-même, que tout l'argent des marchandises ne suffirait pas pour acheter ce que ses sœurs souhaitaient. Tu ne me pries pas de t'acheter quelque chose ? lui dit son père. Puisque vous avez la bonté de penser à moi, lui dit-elle, je vous prie de m'apporter une rose, car il n'en vient point ici. Ce n'est pas que la Belle se souciât d'une rose, mais elle ne voulait pas condamner, par son exemple, la conduite de ses sœurs, qui auraient dit que c'était pour se distinguer qu'elle ne demandait rien.

Le bon homme partit ; mais quand il fut arrivé, on lui fit un procès pour ses marchandises, et, après avoir eu beaucoup de peine, il revint aussi pauvre qu'il était auparavant. Il n'avait plus que trente milles pour arriver à sa maison, et il se réjouissait déjà du plaisir de voir ses enfants ; mais comme il fallait passer un grand bois avant de trouver sa maison, il se perdit. Il neigeait horriblement ; le vent était si grand, qu'il le jeta deux fois en bas de son cheval : la nuit étant venue, il pensa qu'il mourrait de faim ou de froid, ou qu'il serait mangé des loups qu'il entendit hurler autour de lui.

Tout d'un coup, en regardant au bout d'une longue allée d'arbres, il vit une grande lumière, mais qui paraissait bien éloignée. Il marcha de ce côté-là, et vit que cette lumière sortait d'un grand palais qui était tout illuminé.

Le marchand remercia Dieu du secours qu'il lui envoyait, et se hâta d'arriver à ce château ; mais il fut bien surpris de ne trouver personne dans les cours. Son cheval, qui le suivait, voyant une grande écurie ouverte, entra dedans, et ayant trouvé du foin et de l'avoine, le pauvre animal, qui mourait de faim, se jeta dessus avec beaucoup d'avidité. Le marchand l'attacha dans l'écurie, et marcha vers la maison, où il ne trouva personne ; mais étant entré dans une grande salle, il y trouva un bon feu, et une table chargée de viande où il n'y avait qu'un couvert. Comme la pluie et la neige l'avaient mouillé jusqu'aux os, il s'approcha du feu pour se sécher, et disait en lui-même : Le maître de la maison ou ses domestiques me pardonneront la liberté que j'ai prise, et sans doute ils viendront bientôt.

Il attendit pendant un temps considérable ; mais onze heures ayant sonné sans qu'il vît personne, il ne put résister à la faim, et prit un poulet qu'il mangea en deux bouchées et en tremblant ; il but aussi quelques coups de vin, et, devenu plus hardi, il sortit de la salle, et traversa plusieurs grands appartements, magnifiquement meublés. À la fin il trouva une chambre où il y avait un bon lit ; et comme il était minuit passé, et qu'il était las, il prit le parti de fermer la porte et de se coucher.

Il était dix heures du matin quand il se leva le lendemain, et il fut bien surpris de trouver un habit fort propre à la place du sien, qui était tout gâté. Assurément, dit-il en lui-même, ce palais appartient à quelque bonne fée qui a eu pitié de ma situation. Il regarda par la fenêtre et ne vit plus de neige, mais des berceaux de fleurs qui enchantaient la vue. Il rentra dans la grande salle où il avait soupé la veille, et vit une petite table où il y avait du chocolat. Je vous remercie, Madame la Fée, dit-il tout haut, d'avoir eu la bonté de penser à mon déjeuner. Le bon homme, après avoir pris son chocolat, sortit pour aller chercher son cheval ; et comme il passait sous un berceau de roses, il se souvint que la Belle lui en avait demandé une, et cueillit une branche où il y en avait plusieurs.

En même temps il entendit un grand bruit, et vit venir à lui une bête si horrible, qu'il fut tout près de s'évanouir. Vous êtes bien ingrat, lui dit la bête d'une voix terrible ; je vous ai sauvé la vie en vous recevant dans mon château, et pour ma peine vous me volez mes roses, que j'aime mieux que toutes choses au monde. Il faut mourir pour réparer cette faute ; je ne vous donne qu'un quart d'heure pour demander pardon à Dieu.

Le marchand se jeta à genoux et dit à la bête, en joignant les mains : Monseigneur, pardonnez-moi ; je ne croyais pas vous offenser en cueillant une rose pour une de mes filles, qui m'en avait demandé. Je ne m'appelle point monseigneur, répondit le monstre, mais la Bête. Je n'aime pas les compliments, moi ; je veux qu'on dise ce que l'on pense ; ainsi ne croyez pas me toucher par vos flatteries. Mais vous m'avez dit que vous aviez des filles, je veux bien vous pardonner, à condition qu'une de vos filles vienne volontairement pour mourir à votre place : ne me raisonnez pas, partez ; et si vos filles refusent de mourir pour vous, jurez que vous reviendrez dans trois mois.

Le bon homme n'avait pas dessein de sacrifier une de ses filles à ce vilain monstre, mais il pensa au moins : J'aurai le plaisir de les embrasser encore une fois. Il jura donc de revenir, et la Bête lui dit qu'il pouvait partir quand il voudrait ; mais, ajouta-t-elle, je ne veux pas que tu t'en ailles les mains vides. Retourne dans la chambre où tu as couché, tu y trouveras un grand coffre vide, tu peux y mettre tout ce qui te plaira, je le ferai porter chez toi. En même temps la Bête se retira, et le bon homme dit en lui-même : S'il faut que je meure, j'aurai la consolation de laisser du pain à mes pauvres enfants.

Il retourna dans la chambre où il avait couché, et y ayant trouvé une grande quantité de pièces d'or, il remplit le grand coffre dont la Bête lui avait parlé, le ferma, et ayant repris son cheval, qu'il retrouva dans l'écurie, il sortit de ce palais avec une tristesse égale à la joie qu'il avait lorsqu'il y était entré. Son cheval prit de lui-même une des routes de la forêt, et en peu d'heures le bon homme arriva dans sa petite maison.

Ses enfants se rassemblèrent autour de lui, mais au lieu d'être sensible à leurs caresses, le marchand se mit à pleurer en les regardant. Il tenait à la main la branche de roses qu'il apportait à la Belle, il la lui donna, et lui dit : La Belle ; prenez ces roses, elles coûteront bien cher à votre malheureux père, et tout de suite il raconta à sa famille la funeste aventure qui lui était arrivée.

À ce récit, ses deux aînées jetèrent de grands cris, et dirent des injures à la Belle, qui ne pleurait point. Voyez ce que produit l'orgueil de cette petite créature, disaient-elles ; que ne demandait-elle des ajustements comme nous ; mais non, mademoiselle voulait se distinguer ; elle va causer la mort de notre père et elle ne pleure pas. Cela serait fort inutile, reprit la Belle ; pourquoi pleurerais-je la mort de mon père ? Il ne périra point. Puisque le monstre veut bien accepter une de ses filles, je veux me livrer à toute sa furie, et je me trouve fort heureuse, puisqu'en mourant j'aurai la joie de sauver mon père et de lui prouver ma tendresse. Non, ma sœur, lui dirent ses trois frères, vous ne mourrez pas ; nous irons trouver ce monstre, et nous périrons sous ses coups si nous ne pouvons le tuer. Ne l'espérez pas, mes enfants, leur dit le marchand, la puissance de cette Bête est si grande, qu'il ne me reste aucune espérance de la faire périr. Je suis charmé du bon cœur de la Belle, mais je ne veux pas l'exposer à la mort. Je suis vieux, il ne me reste que peu de temps à vivre ; ainsi je ne perdrai que quelques années de vie, que je ne regrette qu'à cause de vous, mes chers enfants. Je vous assure, mon père, lui dit la Belle, que vous n'irez pas à ce palais sans moi ; vous ne pouvez m'empêcher de vous suivre. Quoique je sois jeune, je ne suis pas fort attachée à la vie, et j'aime mieux être dévorée par ce monstre, que de mourir du chagrin que me donnerait votre perte.

On eut beau dire, la Belle voulut absolument partir pour le beau palais, et ses sœurs en étaient charmées, parce que les vertus de cette cadette leur avaient inspiré beaucoup de jalousie.

Le marchand était si occupé de la douleur de perdre sa fille, qu'il ne pensait pas au coffre qu'il avait rempli d'or ; mais aussitôt qu'il se fut renfermé dans sa chambre pour se coucher, il fut bien étonné de le trouver à la ruelle de son lit. Il résolut de ne point dire à ses enfants qu'il était devenu si riche, parce que ses filles auraient voulu retourner à la ville, et qu'il était résolu de mourir dans cette campagne ; mais il confia ce secret à la Belle, qui lui apprit qu'il était venu quelques gentilshommes pendant son absence ; qu'il y en avait deux qui aimaient ses sœurs. Elle pria son père de les marier ; car elle était si bonne qu'elle les aimait, et leur pardonnait de tout son cœur le mal qu'elles lui avaient fait.

Ces deux méchantes filles se frottaient les yeux avec un oignon pour pleurer lorsque la Belle partit avec son père ; mais ses frères pleuraient tout de bon, aussi bien que le marchand : il n'y avait que la Belle qui ne pleurait point, parce qu'elle ne voulait pas augmenter leur douleur. Leur cheval prit la route du palais, et sur le soir ils l'aperçurent illuminé comme la première fois.

Le cheval fut tout seul à l'écurie, et le bon homme entra avec sa fille dans la grande salle, où ils trouvèrent une table magnifiquement servie, avec deux couverts. Le marchand n'avait pas le cœur de manger, mais Belle, s'efforçant de paraître tranquille, se mit à table ; et le servit ; puis elle disait en elle-même : La Bête veut m'engraisser avant de me manger ; puisqu'elle me fait si bonne chère.

Quand ils eurent soupé, ils entendirent un grand bruit, et le marchand dit adieu à sa pauvre fille en pleurant ; car il pensait que c'était la Bête. La Belle ne put s'empêcher de frémir en voyant cette horrible figure; mais elle se rassura de son mieux, et le monstre lui ayant demandé si c'était de bon cœur qu'elle était venue, elle lui dit en tremblant que oui. Vous êtes bien bonne, dit la Bête, et je vous suis bien obligé. Bon homme, partez demain matin, et ne vous avisez jamais de revenir ici. Adieu, la Belle. Adieu, la Bête, répondit-elle; et tout de suite le monstre se retira.

Ah! ma fille, dit le marchand en embrassant la Belle, je suis à demi-mort de frayeur: croyez-moi, laissez-moi ici. Non, mon père, lui dit la Belle avec fermeté: vous partirez demain matin, et vous m'abandonnerez au secours du ciel; peut-être aura-t-il pitié de moi.

Ils furent se coucher, et croyaient ne pas dormir de toute la nuit; mais à peine furent-ils dans leurs lits que leurs yeux se fermèrent. Pendant son sommeil, la Belle vit une dame qui lui dit: Je suis contente de votre bon cœur, la Belle: la bonne action que vous faites en donnant votre vie pour sauver celle de votre père ne demeurera point sans récompense. La Belle, en s'éveillant, raconta ce songe à son père; et quoiqu'il le consolât un peu, cela ne l'empêcha pas de jeter de grands cris quand il fallut se séparer de sa chère fille.

Lorsqu'il fut parti, la Belle s'assit dans la grande salle, et se mit à pleurer aussi, mais comme elle avait beaucoup de courage, elle se recommanda à Dieu, et résolut de ne se point chagriner pour le peu de temps qu'elle avait à vivre, car elle croyait fermement que la Bête la mangerait le soir. Elle résolut de se promener en attendant, et de visiter ce beau château: elle ne pouvait s'empêcher d'en admirer la beauté.

Mais elle fut bien surprise de trouver une porte sur laquelle il y avait écrit: APPARTEMENT DE LA BELLE. Elle ouvrit cette porte avec précipitation, et elle fut éblouie de la magnificence qui y régnait; mais ce qui frappa le plus sa vue fut une grande bibliothèque, un clavecin, et plusieurs livres de musique. On ne veut pas que je m'ennuie, dit-elle tout bas. Elle pensa ensuite; si je n'avais qu'un jour à demeurer ici, on ne m'aurait pas fait une telle provision. Cette pensée ranima son courage. Elle ouvrit la bibliothèque, et vit un livre où il y avait écrit en lettres d'or: SOUHAITEZ, COMMANDEZ; VOUS ÊTES ICI LA REINE ET LA MAÎTRESSE.

Hélas! dit-elle, en soupirant, je ne souhaite rien que de voir mon pauvre père, et de savoir ce qu'il fait à présent: elle avait dit cela en elle-même. Quelle fut sa surprise, en jetant les yeux sur un grand miroir, d'y voir sa maison, où son père arrivait avec un visage extrêmement triste.

Ses sœurs venaient au-devant de lui, et malgré les grimaces qu'elles faisaient pour paraître affligées, la joie qu'elles avaient de la perte de leur sœur paraissait sur leur visage. Un moment après tout cela disparut, et la Belle ne put s'empêcher de penser que la Bête était bien complaisante, qu'elle n'avait rien à craindre d'elle. À midi elle trouva la table mise et pendant son dîner elle entendit un excellent concert, quoiqu'elle ne vît personne.

Le soir, comme elle allait se mettre à table, elle entendit le bruit que faisait la Bête, et ne put s'empêcher de frémir. La Belle, lui dit ce monstre, voulez-vous bien que je vous voie souper? Vous êtes le maître, répondit la Belle en tremblant. Non, répondit la Bête, il n'y a ici de maîtresse que vous; vous n'avez qu'à me dire de m'en aller si je vous ennuie, je sortirai tout de suite. Dites-moi, n'est-ce pas que vous me trouvez bien laid? Cela est vrai, dit la Belle, car je ne sais pas mentir; mais je crois que vous êtes fort bon. Vous avez raison, dit le monstre; mais outre que je suis laid, je n'ai point d'esprit: je sais bien que je ne suis qu'une bête. On n'est pas bête, reprit la Belle, quand on croit n'avoir point d'esprit: un sot n'a jamais su cela. Mangez donc, la Belle, lui dit le monstre, et tâchez de ne vous point ennuyer dans votre maison; car tout ceci est à vous; et j'aurais du chagrin si vous n'étiez pas contente. Vous avez bien de la bonté, lui dit la Belle; je vous avoue que je suis bien contente de votre cœur; quand j'y pense, vous ne me paraissez plus si laid. Oh! dame oui, répondit la Bête, j'ai le cœur bon, mais je suis un monstre. Il y a bien des hommes qui sont plus monstres que vous, dit la Belle, et je vous aime mieux avec votre figure que ceux qui, avec la figure d'hommes, cachent un cœur faux, corrompu, ingrat. Si j'avais de l'esprit, reprit la Bête, je vous ferais un grand compliment pour vous remercier; mais je suis un stupide, et tout ce que je puis vous dire, c'est que je vous suis bien obligé.

La Belle soupa de bon appétit. Elle n'avait presque plus peur du monstre; mais elle manqua mourir de frayeur, lorsqu'il lui dit: La Belle, voulez-vous être ma femme? Elle fut quelque temps sans répondre : elle avait peur d'exciter la colère du monstre en le refusant ; elle lui dit pourtant en tremblant : Non, la Bête.

Dans ce moment ce pauvre monstre voulut soupirer, et il fit un sifflement si épouvantable, que tout le palais en retentit ; mais la Belle fut bientôt rassurée, car la Bête lui ayant dit tristement, adieu donc, la Belle, elle sortit de la chambre en se retournant de temps en temps pour la regarder encore.

La Belle, se voyant seule, sentit une grande compassion pour cette pauvre Bête. Hélas ! disait-elle, c'est bien dommage qu'elle soit si laide : elle est si bonne !

La Belle passa trois mois dans ce palais avec assez de tranquillité. Tous les soirs la Bête lui rendait visite, l'entretenait pendant le souper avec assez de bon sens, mais jamais avec ce qu'on appelle esprit dans le monde. Chaque jour la Belle découvrait de nouvelles bontés dans ce monstre. L'habitude de le voir l'avait accoutumée à sa laideur ; loin de craindre le moment de sa visite, elle regardait à sa montre pour voir s'il était bientôt neuf heures, car la Bête ne manquait jamais de venir à cette heure-là. Il n'y avait qu'une chose qui faisait de la peine à la Belle, c'est que le monstre, avant de se coucher, lui demandait toujours si elle voulait être sa femme, et paraissait pénétré de douleur lorsqu'elle lui disait que non.

Elle dit un jour : Vous me chagrinez, la Bête ; je voudrais pouvoir vous épouser, mais je suis trop sincère pour vous faire croire que cela arrivera jamais. Je serai toujours votre amie ; tâchez de vous contenter de cela. Il le faut bien, reprit la Bête ; je me rends justice, je sais que je suis bien horrible, mais je vous aime beaucoup ; cependant je suis trop heureux de ce que vous voulez bien rester ici ; promettez-moi que vous ne me quitterez jamais. La Belle rougit à ces paroles ; elle avait vu dans son miroir que son père était malade de chagrin de l'avoir perdue, et elle souhaitait de le revoir. Je pourrais bien vous promettre, dit-elle à la Bête, de ne vous jamais quitter tout-à-fait ; mais j'ai tant d'envie de revoir mon père, que je mourrai de douleur si vous me refusez ce plaisir. J'aime mieux mourir moi-même, dit ce monstre, que de vous donner du chagrin. Je vous enverrai chez votre père, vous y resterez, et votre pauvre Bête en mourra de douleur. Non, lui dit la Belle en pleurant, je vous aime trop pour vouloir causer votre mort ; je vous promets de revenir dans huit jours. Vous m'avez fait voir que mes sœurs sont mariées, et que mes frères sont partis pour l'armée. Mon père est tout seul, souffrez que je reste chez lui une semaine. Vous y serez demain au matin, dit la Bête, mais souvenez-vous de votre promesse. Vous n'aurez qu'à mettre votre bague sur une table en vous couchant, quand vous voudrez revenir. Adieu, la Belle. La Bête soupira selon sa coutume en disant ces mots, et la Belle se coucha toute triste de la voir affligée.

Quand elle se réveilla le matin, elle se trouva dans la maison de son père, et ayant sonné une clochette qui était à côté de son lit, elle vit venir la servante qui fit un grand cri en la voyant. Le bon homme accourut à ce cri, et manqua mourir de joie en revoyant sa chère fille ; et ils se tinrent embrassés plus d'un quart d'heure.

La Belle, après les premiers transports, pensa qu'elle n'avait point d'habits pour se lever ; mais la servante lui dit, qu'elle venait de trouver dans la chambre voisine un grand coffre plein de robes toutes d'or, garnies de diamants. La Belle remercia la bonne Bête de ses attentions ; elle prit la moins riche de ces robes, et dit à la servante de serrer les autres, dont elle voulait faire présent à ses sœurs ; mais à peine eut-elle prononcé ces paroles, que le coffre disparut. Son père lui dit que la Bête voulait qu'elle gardât tout cela pour elle, et aussitôt les robes et le coffre revinrent à la même place.

La Belle s'habilla, et pendant ce temps on fut avertir ses sœurs qui accoururent avec leurs maris. Elles étaient toutes deux fort malheureuses : l'aînée avait épousé un gentilhomme, beau comme l'Amour ; mais il était si amoureux de sa propre figure qu'il n'était occupé que de cela depuis le matin jusqu'au soir, et méprisait la beauté de sa femme. La seconde avait épousé un homme qui avait beaucoup d'esprit ; mais il ne s'en servait que pour faire enrager tout le monde, et sa femme toute la première.

Les sœurs de la Belle manquèrent de mourir de douleur quand elles la virent habillée comme une princesse, et plus belle que le jour. Elle eut beau les caresser, rien ne put étouffer leur jalousie, qui augmenta beaucoup quand elle leur eut conté combien elle était heureuse. Ces deux jalouses descendirent dans le jardin pour y pleurer tout à leur aise, et elles se disaient : Pourquoi cette petite créature est-elle plus heureuse que nous ? Ne sommes-nous pas plus aimables qu'elle ? Ma sœur, dit l'aînée, il me vient une pensée, tâchons de l'arrêter ici plus de huit jours ; sa sotte Bête se mettra en colère de ce qu'elle lui aura manqué de parole, et peut-être qu'elle la dévorera. Vous avez raison, ma sœur, répondit l'autre ; pour cela il lui faut faire de grandes caresses ; et ayant pris cette résolution, elles remontèrent, et firent tant d'amitié à leur sœur, que la Belle en pleura de joie. Quand les huit jours furent passés, les deux sœurs s'arrachèrent les cheveux, et firent tant les affligées de son départ, qu'elle promit de rester encore huit jours.

Cependant Belle se reprochait le chagrin qu'elle allait donner à sa pauvre Bête, qu'elle aimait de tout son cœur ; et elle s'ennuyait de ne plus la voir. La dixième nuit qu'elle passa chez son père, elle rêva qu'elle était dans le jardin du palais, et qu'elle voyait la Bête couchée sur l'herbe et prête à mourir, qui lui reprochait son ingratitude. La Belle se réveilla en sursaut, et versa des larmes. Ne suis-je pas bien méchante, disait-elle, de donner du chagrin à une Bête qui a pour moi tant de complaisance ? Est-ce sa faute si elle est si laide et si elle a peu d'esprit ? elle est bonne, cela vaut mieux que tout le reste. Pourquoi n'ai-je pas voulu l'épouser ? je serais plus heureuse avec elle que mes sœurs avec leurs maris. Ce n'est ni la beauté ni l'esprit d'un mari qui rendent une femme contente, c'est la bonté du caractère, la vertu, la complaisance, et la Bête a toutes ces bonnes qualités ; je n'ai point d'amour pour elle, mais j'ai de l'estime, de l'amitié, de la reconnaissance. Allons, il ne faut pas la rendre malheureuse ; je me reprocherais toute ma vie mon ingratitude. À ces mots la Belle se lève, met sa bague sur la table, et revient se coucher.

À peine fut-elle dans son lit, qu'elle s'endormit, et quand elle se réveilla le matin, elle vit avec joie qu'elle était dans le palais de la Bête. Elle s'habilla magnifiquement pour lui plaire, et s'ennuya à mourir toute la journée, en attendant neuf heures du soir ; mais l'horloge eut beau sonner, la Bête ne parut point. La Belle alors craignit d'avoir causé sa mort ; elle courut tout le palais en jetant de grands cris : elle était au désespoir.

Après avoir cherché partout, elle se souvint de son rêve, et courut dans le jardin vers le canal, où elle l'avait vue en dormant. Elle trouva la pauvre Bête étendue sans connaissance, et elle crut qu'elle était morte. Elle se jeta sur son corps, sans avoir horreur de sa figure ; et sentant que son cœur battait encore, elle prit de l'eau dans le canal, et lui en jeta sur la tête.

La Bête ouvrit les yeux, et dit à la Belle : Vous avez oublié votre promesse ; le chagrin de vous avoir perdue m'a fait résoudre à me laisser mourir de faim ; mais je meurs content, puisque j'ai le plaisir de vous revoir encore une fois. Non, ma chère Bête, vous ne mourrez point, lui dit la Belle, vous vivrez pour devenir mon époux ; dès ce moment je vous donne ma main, et je jure que je ne serai qu'à vous. Hélas ! je croyais n'avoir que de l'amitié pour vous, mais la douleur que je sens me fait voir que je ne pourrais vivre sans vous voir.

À peine la Belle eut-elle prononcé ces paroles qu'elle vit le château brillant de lumière : les feux d'artifices, la musique, tout lui annonçait une fête ; mais toutes ces beautés n'arrêtèrent point sa vue, elle se retourna vers sa chère Bête dont le danger la faisait frémir. Quelle fut sa surprise ! la Bête avait disparu, et elle ne vit plus à ses pieds qu'un prince plus beau que l'Amour, qui la remerciait d'avoir fini son enchantement. Quoique ce prince méritât toute son attention, elle ne put s'empêcher de lui demander où était la Bête. Vous la voyez à vos pieds, lui dit le prince ; une méchante fée m'avait condamné à rester sous cette figure jusqu'à ce qu'une belle fille consentît à m'épouser, et elle m'avait défendu de faire paraître mon esprit. Ainsi il n'y avait que vous dans le monde assez bonne pour vous laisser toucher à la bonté de mon caractère, et en vous offrant ma couronne, je ne puis m'acquitter des obligations que je vous ai. La Belle, agréablement surprise, donna la main à ce beau prince pour se relever.

Ils allèrent ensemble au château, et la Belle manqua mourir de joie en trouvant, dans la grande salle, son père et toute sa famille, que la belle dame, qui lui était apparue en songe, avait transportée au château. La Belle, lui dit cette dame, qui était une grande fée, venez recevoir la récompense de votre bon choix : vous avez préféré la vertu à la beauté et à l'esprit, vous méritez de trouver toutes ces qualités réunies en une même personne. Vous allez devenir une grande reine ; j'espère que le trône ne détruira pas vos vertus. Pour vous, Mesdemoiselles, dit la fée aux deux sœurs de la Belle, je connais votre cœur, et toute la malice qu'il renferme ; devenez deux statues, mais conservez toute votre raison sous la pierre qui vous enveloppera. Vous demeurerez à la porte du palais de votre sœur, et je ne vous impose point d'autre peine que d'être témoins de son bonheur. Vous ne pourrez revenir dans votre premier état qu'au moment où vous reconnaîtrez vos fautes : mais j'ai bien peur que vous ne restiez toujours statues. On se corrige de l'orgueil, de la colère, de la gourmandise et de la paresse ; mais c'est une espèce de miracle que la conversion d'un cœur méchant et envieux.

Dans le moment, la fée donna un coup de baguette qui transporta tous ceux qui étaient dans cette salle dans le royaume du prince. Ses sujets le virent avec joie ; et il épousa la Belle, qui vécut avec lui fort longtemps, et dans un bonheur parfait, parce qu'il était fondé sur la vertu.

Aurore et Aimée

Il y avait une fois une dame, qui avait deux filles. L'aînée, qui se nommait Aurore, était belle comme le jour, et elle avait un assez bon caractère. La seconde, qui se nommait Aimée, était bien aussi belle que sa sœur, mais elle était maligne, et n'avait de l'esprit que pour faire du mal. La mère avait été aussi fort belle, mais elle commençait à n'être plus jeune, et cela lui donnait beaucoup de chagrin. Aurore avait seize ans, et Aimée n'en avait que douze; ainsi, la mère qui craignait de paraître vieille, quitta le pays où tout le monde la connaissait, et envoya sa fille aînée à la campagne, parce qu'elle ne voulait pas qu'on sût qu'elle avait une fille si âgée. Elle garda la plus jeune auprès d'elle, et fut dans une autre ville, et elle disait à tout le monde qu'Aimée n'avait que dix ans, et qu'elle l'avait eue avant quinze ans. Cependant, comme elle craignait qu'on ne découvrît sa tromperie, elle envoya Aurore dans un pays bien loin, et celui qui la conduisait la laissa dans un grand bois, où elle s'était endormie en se reposant. Quand Aurore se réveilla, et qu'elle se vit toute seule dans ce bois, elle se mit à pleurer. Il était presque nuit, et s'étant levée, elle chercha à sortir de cette forêt; mais au lieu de trouver son chemin, elle s'égara encore davantage. Enfin, elle vit bien loin une lumière, et étant allée de ce côté-là elle trouva une petite maison. Aurore frappa à la porte, et une bergère vint lui ouvrir, et lui demanda ce qu'elle voulait.

« Ma bonne mère, lui dit Aurore, je vous prie par charité, de me donner la permission de coucher dans votre maison, car si je reste dans le bois, je serais mangée des loups.

— De tout mon cœur, ma belle fille, lui répondit la bergère, mais dites-moi, pourquoi êtes-vous dans ce bois si tard? »

Aurore lui raconta son histoire, et lui dit :

« Ne suis-je pas bien malheureuse d'avoir une mère si cruelle ! et ne vaudrait-il pas mieux que je fusse morte en venant au monde, que de vivre pour être ainsi maltraitée ! Qu'est-ce que j'ai fait au bon Dieu pour être si misérable ?

— Ma chère enfant, répliqua la bergère ; il ne faut jamais murmurer contre Dieu ; il est tout-puissant, il est sage, il vous aime et vous devez croire qu'il n'a permis votre malheur que pour votre bien. Confiez-vous en lui, et mettez-vous bien dans la tête que Dieu protège les bons, et que les choses fâcheuses qui leur arrivent, ne sont pas malheurs : demeurez avec moi, je vous servirai de mère, et je vous aimerai comme ma fille. »

Aurore consentit à cette proposition, et le lendemain, la bergère lui dit :

« Je vais vous donner un petit troupeau à conduire, mais j'ai peur que vous ne vous ennuyiez, ma belle fille ; ainsi, prenez une quenouille, et vous filerez, cela vous amusera.

— Ma mère, répondit Aurore, je suis une fille de qualité, ainsi je ne sais pas travailler.

— Prenez donc un livre, lui dit la bergère.

— Je n'aime pas la lecture », lui répondit Aurore en rougissant.

C'est qu'elle était honteuse d'avouer à la fée, qu'elle ne savait pas lire comme il faut. Il fallut pourtant avouer la vérité : et elle dit à la bergère, qu'elle n'avait jamais voulu apprendre à lire quand elle était petite, et qu'elle n'en avait pas eu le temps quand elle était devenue grande.

« Vous aviez donc de grandes affaires, lui dit la bergère.

— Oui, ma mère, répondit Aurore. J'allais me promener tous les matins avec mes bonnes amies ; après dîner je me coiffais ; le soir, je restais à notre assemblée, et puis j'allais à l'opéra, à la comédie, et la nuit, j'allais au bal.

— Véritablement, dit la bergère, vous aviez de grandes occupations, et sans doute, vous ne vous ennuyiez pas.

— Je vous demande pardon, ma mère, répondit Aurore. Quand j'étais un quart d'heure toute seule, ce qui m'arrivait quelquefois, je m'ennuyais à mourir : mais quand nous allions à la campagne, c'était bien pire, je passais toute la journée à me coiffer, et à me décoiffer, pour m'amuser.

— Vous n'étiez donc pas heureuse à la campagne, dit la bergère.

— Je ne l'étais pas à la ville non plus, répondit Aurore. Si je jouais, je perdais mon argent ; si j'étais dans une assemblée, je voyais mes compagnes mieux habillées que moi, et cela me chagrinait beaucoup ; si j'allais au bal, je n'étais occupée qu'à chercher des défauts à celles qui dansaient mieux que moi ; enfin, je n'ai jamais passé un jour sans avoir du chagrin.

— Ne vous plaignez donc plus de la Providence, lui dit la bergère ; en vous conduisant dans cette solitude, elle vous a ôté plus de chagrins que de plaisirs ; mais ce n'est pas tout. Vous auriez été par la suite encore plus malheureuse ; car enfin, on n'est pas toujours jeune : le temps du bal et de la comédie passe ; quand on devient vieille, et qu'on veut toujours être dans les assemblées, les jeunes gens se moquent ; d'ailleurs, on ne peut plus danser, on n'oserait plus se coiffer ; il faut donc s'ennuyer à mourir, et être fort malheureuse.

— Mais, ma bonne mère, dit Aurore, on ne peut pourtant pas rester seule, la journée paraît longue comme un an, quand on n'a pas compagnie.

— Je vous demande pardon, ma chère, répondit la bergère : je suis seule ici, et les années me paraissent courtes comme les jours ; si vous voulez, je vous apprendrai le secret de ne vous ennuyer jamais.

— Je le veux bien, dit Aurore ; vous pouvez me gouverner comme vous le jugerez à propos, je veux vous obéir. »

La bergère, profitant de la bonne volonté d'Aurore, lui écrivit sur un papier tout ce qu'elle devait faire. Toute la journée était partagée entre la prière, la lecture, le travail et la promenade. Il n'y avait pas d'horloge dans ce bois, et Aurore ne savait pas quelle heure il était, mais la bergère connaissait l'heure par le soleil : elle dit à Aurore de venir dîner.

« Ma mère, dit cette belle fille à la bergère, vous dînez de bonne heure, il n'y a pas longtemps que nous sommes levées.

— Il est pourtant deux heures, reprit la bergère en souriant, et nous sommes levées depuis cinq heures ; mais, ma fille, quand on s'occupe utilement, le temps passe bien vite, et jamais on ne s'ennuie. »

Aurore, charmée de ne plus sentir l'ennui, s'appliqua de tout son cœur à la lecture et au travail ; et elle se trouvait mille fois plus heureuse, au milieu de ses occupations champêtres, qu'à la ville.

« Je vois bien, disait-elle à la bergère, que Dieu fait tout pour notre bien. Si ma mère n'avait pas été injuste et cruelle à mon égard, je serais restée dans mon ignorance, et la vanité, l'oisiveté, le désir de plaire, m'auraient rendue méchante et malheureuse. »

Il y avait un an qu'Aurore était chez la bergère, lorsque le frère du roi vint chasser dans le bois où elle gardait les moutons. Il se nommait Ingénu, et c'était le meilleur prince du monde ; mais le roi, son frère, qui s'appelait Fourbin, ne lui ressemblait pas, car il n'avait de plaisir qu'à tromper ses voisins, et à maltraiter ses sujets. Ingénu fut charmé de la beauté d'Aurore, et lui dit qu'il se croirait fort heureux, si elle voulait l'épouser. Aurore le trouvait fort aimable ; mais elle savait qu'une fille qui était sage, n'écoute point les hommes qui leur tiennent de pareils discours.

« Monsieur, dit-elle à Ingénu, si ce que vous me dites est vrai, vous irez trouver ma mère, qui est une bergère ; elle demeure dans cette petite maison que vous voyez tout là-bas : si elle veut bien que vous soyez mon mari, je le voudrai bien aussi ; car elle est si sage et si raisonnable, que je ne lui désobéis jamais.

— Ma belle fille, reprit Ingénu, j'irai de tout mon cœur vous demander à votre mère ; mais je ne voudrais pas vous épouser malgré vous : si elle consent que vous soyez ma femme, cela peut-être vous donnera du chagrin, et j'aimerais mieux mourir, que de vous causer de la peine.

— Un homme qui pense comme cela a de la vertu, dit Aurore, et une fille ne peut être malheureuse avec un homme vertueux. »

Ingénu quitta Aurore, et fut trouver la bergère, qui connaissait sa vertu, et qui consentit de bon cœur à son mariage : il lui promit de revenir dans trois jours pour voir Aurore avec elle, et partit le plus content du monde, après lui avoir donné sa bague pour gage. Cependant Aurore avait beaucoup d'impatience de retourner à la petite maison ; Ingénu lui avait paru si aimable, qu'elle craignait que celle qu'elle appelait sa mère ne l'eût rebuté mais la bergère lui dit :

« Ce n'est pas parce qu'Ingénu est prince, que j'ai consenti à votre mariage avec lui ; mais parce qu'il est le plus honnête homme du monde. »

Aurore attendait avec quelque impatience le retour du prince ; mais le second jour après son départ, comme elle ramenait son troupeau, elle se laissa tomber si malheureusement dans un buisson, qu'elle se déchira tout le visage. Elle se regarda bien vite dans un ruisseau, et elle se fit peur ; car le sang lui coulait de tous les côtés.

« Ne suis-je pas bien malheureuse, dit-elle à la bergère, en rentrant dans la maison ; Ingénu viendra demain matin, et il ne m'aimera plus, tant il me trouvera horrible. »

La bergère lui dit en souriant :

« Puisque le bon Dieu a permis que vous soyez tombée, sans doute que c'est pour votre bien ; car vous savez qu'il vous aime, et qu'il sait mieux que vous ce qui vous est bon. »

Aurore reconnut sa faute, car c'en est une de murmurer contre la Providence, et elle dit en elle-même, si le prince Ingénu ne veut plus m'épouser, parce que je ne suis plus belle, apparemment que j'aurais été malheureuse avec lui. Cependant la bergère lui lava le visage, et lui arracha plusieurs épines, qui étaient enfoncées dedans. Le lendemain matin, Aurore était effroyable, car son visage était horriblement enflé, et on ne lui voyait pas les yeux. Sur les dix heures du matin, on entendit un carrosse s'arrêter devant la porte ; mais au lieu d'Ingénu, on en vit descendre le roi Fourbin : un des courtisans, qui étaient à la chasse avec le prince, avait dit au roi que son frère avait rencontré la plus belle fille du monde, et qu'il voulait l'épouser.

« Vous êtes bien hardi de vouloir vous marier sans ma permission, dit Fourbin à son frère : pour vous punir, je veux épouser cette fille, si elle est aussi belle qu'on le dit. »

Fourbin, en entrant chez la bergère, lui demanda où était la fille.

« La voici, répondit la bergère, en montrant Aurore.

— Quoi ! ce monstre-là, dit le roi, et n'avez-vous point une autre fille, à laquelle mon frère a donné sa bague ?

— La voici à mon doigt », répondit Aurore.

À ces mots, le roi fit un grand éclat de rire, et dit :

« Je ne croyais pas mon frère de si mauvais goût ; mais je suis charmé de pouvoir le punir. »

En même temps, il commanda à la bergère de mettre un voile sur la tête d'Aurore ; et ayant envoyé chercher le prince Ingénu, il lui dit :

« Mon frère, puisque vous aimez la belle Aurore, je veux que vous l'épousiez tout à l'heure.

— Et moi, je ne veux tromper personne, dit Aurore, en arrachant son voile ; regardez mon visage, Ingénu, je suis devenue bien horrible depuis trois jours ; voulez-vous encore m'épouser ?

— Vous paraissez plus aimable que jamais à mes yeux, dit le prince ; car je reconnais que vous êtes plus vertueuse encore que je ne croyais. »

En même temps il lui donna la main, et Fourbin riait de tout son cœur. Il commanda donc qu'ils fussent mariés sur-le-champ; mais ensuite il dit à Ingénu:

«Comme je n'aime pas les monstres, vous pouvez demeurer avec votre femme dans cette cabane, je vous défends de l'amener à la cour.»

En même temps, il remonta dans son carrosse, et laissa Ingénu transporté de joie.

«Eh bien, dit la bergère à Aurore, croyez-vous encore être malheureuse d'avoir tombé? Sans cet accident, le roi serait devenu amoureux de vous, et si vous n'aviez pas voulu l'épouser, il eût fait mourir Ingénu.

— Vous avez raison, ma mère, reprit Aurore mais pourtant je suis devenue laide à faire peur, et je crains que le prince n'ait du regret de m'avoir épousée.

— Non, je vous assure, reprit Ingénu: on s'accoutume au visage d'une laide, mais on ne peut s'accoutumer à un mauvais caractère.

— Je suis charmée de vos sentiments, dit la bergère; mais Aurore sera encore belle, j'ai une eau qui guérira son visage.»

Effectivement, au bout de trois jours, le visage d'Aurore devint comme auparavant; mais le prince la pria de porter toujours son voile; car il avait peur que son méchant frère ne l'enlevât, s'il la voyait. Cependant Fourbin, qui voulait se marier, fit partir plusieurs peintres pour lui apporter les portraits des plus belles filles. Il fut enchanté de celui d'Aimée, sœur d'Aurore, et l'ayant fait venir à la cour, il l'épousa. Aurore eut beaucoup d'inquiétude, quand elle sut que sa sœur était reine; elle n'osait plus sortir, car elle savait combien cette sœur était méchante, et combien elle la haïssait. Au bout d'un an, Aurore eut un fils qu'on nomma Beaujour, et elle l'aimait uniquement. Ce petit prince, lorsqu'il commença à parler, montra tant d'esprit, qu'il faisait tout le plaisir de ses parents. Un jour qu'il était devant la porte avec sa mère, elle s'endormit, et quand elle se réveilla, elle ne trouva plus son fils. Elle jeta de grands cris, et courut par toute la forêt pour le chercher. La bergère avait beau la faire souvenir qu'il n'arrive rien que pour notre bien, elle eut toutes les peines du monde à la consoler; mais le lendemain, elle fut contrainte d'avouer que la bergère avait raison. Fourbin et sa femme, enragés de n'avoir point d'enfants, envoyèrent des soldats pour tuer leur neveu;

et voyant qu'on ne pouvait le trouver, ils mirent Ingénu, sa femme et la bergère dans une barque, et les firent exposer sur la mer, afin qu'on entendît jamais parler d'eux. Pour cette fois, Aurore crut qu'elle devait se croire fort malheureuse; mais la bergère lui répétait toujours, que Dieu faisait tout pour le mieux. Comme il faisait un très beau temps, la barque vogua tranquillement pendant trois jours, et aborda à une ville qui était sur le bord de la mer. Le roi de cette ville avait une grande guerre, et les ennemis l'assiégèrent le lendemain. Ingénu, qui avait du courage, demanda quelques troupes au roi; il fit plusieurs sorties, et il eut le bonheur de tuer l'ennemi qui assiégeait la ville. Les soldats, ayant perdu leur commandant, s'enfuirent, et le roi, qui était assiégé, n'ayant point d'enfants, adopta Ingénu pour son fils, afin de lui marquer sa reconnaissance. Quatre ans après, on apprit que Fourbin était mort de chagrin, d'avoir épousé une méchante femme, et le peuple qui la haïssait la chassa honteusement, et envoya des ambassadeurs à Ingénu, pour lui offrir la couronne. Il s'embarqua avec sa femme et la bergère, mais une grande tempête étant survenue, ils firent naufrage et se trouvèrent dans une île déserte. Aurore, devenue sage par tout ce qui lui était arrivé, ne s'affligea point, et pensa que c'était pour leur bien, que Dieu avait permis ce naufrage : ils mirent un grand bâton sur le rivage, et le tablier blanc de la bergère au haut de ce bâton, afin d'avertir les vaisseaux, qui passeraient par là, de venir à leur secours. Sur le soir, ils virent venir une femme qui portait un petit enfant, et Aurore ne l'eut pas plutôt regardé, qu'elle reconnut son fils Beaujour. Elle demanda à cette femme où elle avait pris cet enfant, et elle lui répondit que son mari, qui était un corsaire, l'avait enlevé ; mais qu'ayant fait naufrage, proche de cette île, elle s'était sauvée avec l'enfant qu'elle tenait alors dans ses bras. Deux jours après, des vaisseaux qui cherchaient les corps d'Ingénu et d'Aurore, qu'on croyait péris, virent ce linge blanc, et étant venus dans l'île, ils menèrent leur roi et sa famille dans leur royaume. Et quelque accident qui arrivât à Aurore, elle ne murmura jamais, parce qu'elle savait par son expérience, que les choses qui nous paraissent des malheurs sont souvent la cause de notre félicité.

Belote et Laidronette

Il y avait une fois un seigneur qui avait deux filles jumelles, à qui l'on avait donné deux noms qui leur convenaient parfaitement. L'aînée, qui était très belle, fut nommée Belote, et la seconde, qui était fort laide, fut nommée Laidronette. On leur donna des maîtres, et jusqu'à l'âge de douze ans, elles s'appliquèrent à leurs exercices ; mais alors leur mère fit une sottise, car sans penser qu'il leur restait encore bien des choses à apprendre, elle les mena avec elle dans les assemblées. Comme ces deux filles aimaient à se divertir, elles furent bien contentes de voir le monde, et elles n'étaient plus occupées que de cela, même pendant le temps de leurs leçons ; en sorte que leurs maîtres commencèrent à les ennuyer. Elles trouvèrent mille prétextes pour ne plus apprendre ; tantôt il fallait célébrer le jour de leur naissance, une autre fois elles étaient priées à un bal, à une assemblée, et il fallait passer le jour à se coiffer ; en sorte qu'on écrivait souvent des cartes aux maîtres, pour les prier de ne point venir. D'un autre côté les maîtres, qui voyaient que les deux petites filles ne s'appliquaient plus, ne se souciaient pas beaucoup de leur donner des leçons ; car dans ce pays, les maîtres ne donnaient pas leçon seulement pour gagner de l'argent, mais pour avoir le plaisir de voir avancer leurs écolières. Ils n'y allaient donc guère souvent, et les jeunes filles en étaient bien aises. Elles vécurent ainsi jusqu'à quinze ans, et à cet âge, Belote était devenue si belle, qu'elle faisait l'admiration de tous ceux qui la voyaient. Quand la mère menait ses filles en compagnie, tous les cavaliers faisaient la cour à Belote ; l'un louait sa bouche, l'autre ses yeux, sa main, sa taille ; et pendant qu'on lui donnait toutes ces louanges, on ne pensait seulement pas que sa sœur fût au monde. Laidronette mourait de dépit d'être laide, et bientôt elle prit un grand dégoût pour le monde et les compagnies, où tous les honneurs et les préférences étaient pour sa sœur. Elle commença donc à souhaiter de ne plus sortir : et un jour qu'elles étaient priées à une assemblée, qui devait finir par un bal, elle dit à sa mère, qu'elle avait mal à la tête, et qu'elle souhaitait de rester à la maison. Elle s'y ennuya d'abord à mourir, et pour passer le temps, elle fut à la bibliothèque de sa mère, pour chercher un roman, et fut bien fâchée de ce que sa sœur en avait emporté la clef. Son père aussi avait une bibliothèque, mais c'étaient des livres sérieux, et elle les haïssait beaucoup. Elle fut pourtant forcée d'en prendre un : c'était un recueil de lettres, et en ouvrant le livre, elle trouva celle que je vais vous rapporter :

Vous me demandez, d'où vient que la plus grande partie des belles personnes sont extrêmement sottes et stupides ? Je crois pouvoir vous en dire la raison. Ce n'est pas qu'elles aient moins d'esprit que les autres, en venant au monde ; mais c'est qu'elles négligent de le cultiver. Toutes les femmes ont de la vanité ; elles veulent plaire. Une laide connaît qu'elle ne peut être aimée à cause de son visage ; cela lui donne la pensée de se distinguer par son esprit. Elle étudie donc beaucoup, et elle parvient à devenir aimable, malgré la nature. La belle, au contraire, n'a qu'à se montrer pour plaire, sa vanité est satisfaite : comme elle ne réfléchit jamais, elle ne pense pas que sa beauté n'aura qu'un temps ; d'ailleurs elle est si occupée de sa parure, du soin de courir les assemblées pour se montrer, pour recevoir des louanges, qu'elle n'aurait pas le temps de cultiver son esprit, quand même elle en connaîtrait la nécessité. Elle devient donc une sotte tout occupée de puérilités, de chiffons, de spectacles ; cela dure jusqu'à trente ans, quarante ans au plus, pourvu que la petite vérole, ou quelque autre maladie, ne viennent pas déranger sa beauté plus tôt. Mais quand on n'est plus jeune, on ne peut plus rien apprendre : ainsi, cette belle fille, qui ne l'est plus, reste une sotte pour toute sa vie, quoique la nature lui ait donné autant d'esprit qu'à une autre ; au lieu que la laide, qui est devenue fort aimable, se moque des maladies et de la vieillesse, qui ne peuvent rien lui ôter...

Laidronette, après avoir lu cette lettre qui semblait avoir été écrite pour elle, résolut de profiter des vérités qu'elle lui avait découvertes. Elle redemande ses maîtres, s'applique à la lecture, fait de bonnes réflexions sur ce qu'elle lit, et en peu de temps, devient une fille de mérite. Quand elle était obligée de suivre sa mère dans les compagnies, elle se mettait toujours à côté des personnes en qui elle remarquait de l'esprit, et de la raison, elle leur faisait des questions, et retenait toutes les bonnes choses qu'elle leur entendait dire ; elle prit même l'habitude de les écrire, pour s'en mieux souvenir, et à dix-sept ans, elle parlait et écrivait si bien, que toutes les personnes de mérite se faisaient un plaisir de la connaître, et d'entretenir un commerce de lettres avec elle. Les deux sœurs se marièrent le même jour. Belote épousa un jeune prince qui était charmant, et qui n'avait que vingt-deux ans. Laidronette épousa le ministre de ce prince : c'était un homme de quarante-cinq ans. Il avait reconnu l'esprit de cette fille, et il l'estimait beaucoup ; car le visage de celle qu'il prenait pour sa femme, n'était pas propre à lui inspirer de l'amour, il avoua à Laidronette qu'il n'avait que de l'amitié pour elle : c'était justement ce qu'elle demandait, et elle n'était point jalouse de sa sœur qui épousait un prince, qui était si fort amoureux d'elle, qu'il ne pouvait la quitter une minute, et qu'il rêvait d'elle toute la nuit. Belote fut fort heureuse pendant trois mois ; mais au bout de ce temps, son mari, qui l'avait vue tout à son aise, commença à s'accoutumer à sa beauté, et à penser qu'il ne fallait pas renoncer à tout pour sa femme. Il fut à la chasse, et fit d'autres parties de plaisir dont elle n'était pas, ce qui parut fort extraordinaire à Belote ; car elle s'était persuadée que son mari l'aimerait toujours de la même force : et elle se crut la plus malheureuse personne du monde, quand elle vit que son amour diminuait. Elle lui en fit des plaintes ; il se fâcha ; ils se raccommodèrent : mais comme ces plaintes recommençaient tous les jours, le prince se fatigua de l'entendre. D'ailleurs Belote ayant eu un fils, elle devint maigre, et sa beauté diminua considérablement ; en sorte qu'à la fin, son mari, qui n'aimait en elle que cette beauté, ne l'aima plus du tout. Le chagrin qu'elle en conçut acheva de gâter son visage ; et comme elle ne savait rien, sa conversation était fort ennuyeuse. Les jeunes gens s'ennuyaient avec elle, parce qu'elle était triste ; les personnes plus âgées, et qui avaient du bon sens, s'ennuyaient aussi avec elle, parce qu'elle était sotte : en sorte qu'elle restait seule presque toute la journée. Ce qui augmentait son désespoir, c'est que sa sœur Laidronette était la plus heureuse personne du monde. Son mari la consultait sur les affaires, il lui confiait tout ce qu'il pensait, il se conduisait par ses conseils, et disait partout que sa femme était le meilleur ami qu'il eût au monde. Le prince même, qui était un homme d'esprit, se plaisait dans la conversation de sa belle-sœur, et disait qu'il n'y avait pas moyen de rester une demi-heure sans bâiller avec Belote, parce qu'elle ne savait parler que de coiffures, et d'ajustements, en quoi il ne connaissait rien. Son dégoût pour sa femme devint tel, qu'il l'envoya à la campagne, où elle eut le temps de s'ennuyer tout à son aise, et où elle serait morte de chagrin, si sa sœur Laidronette n'avait pas eu la charité de l'aller voir le plus souvent qu'elle pouvait. Un jour qu'elle tâchait de la consoler, Belote lui dit:

« Mais ma sœur, d'où vient donc la différence qu'il y a entre vous et moi? Je ne puis pas m'empêcher de voir que vous avez beaucoup d'esprit, et que je ne suis qu'une sotte; cependant quand nous étions jeunes, on disait que j'en avais pour le moins autant que vous. »

Laidronette alors raconta son aventure à sa sœur, et lui dit:

« Vous êtes fort fâchée contre votre mari, parce qu'il vous a envoyée à la campagne et cependant cette chose, que vous regardez comme le plus grand malheur de votre vie, peut faire votre bonheur, si vous le voulez. Vous n'avez pas encore dix-neuf ans, ce serait trop tard pour vous appliquer, si vous étiez dans la dissipation de la ville; mais la solitude, dans laquelle vous vivez, vous laisse tout le temps nécessaire pour cultiver votre esprit. Vous n'en manquez pas, ma chère sœur; mais il faut l'orner par la lecture, et les réflexions. »

Belote trouva d'abord beaucoup de difficultés à suivre les conseils de sa sœur, par l'habitude qu'elle avait contractée de perdre son temps en niaiseries; mais à force de se gêner, elle y réussit, et fit des progrès surprenants dans toutes les sciences, à mesure qu'elle devenait aussi raisonnable : et comme la philosophie la consolait de ses malheurs, elle reprit son embonpoint, et devint plus belle qu'elle n'avait jamais été; mais elle ne s'en souciait pas du tout, et ne daignait même pas se regarder dans le miroir. Cependant, son mari avait pris un si grand dégoût pour elle, qu'il fit casser son mariage. Ce dernier malheur pensa l'accabler, car elle aimait tendrement son mari; mais sa sœur Laidronette vint à bout de la consoler.

« Ne vous affligez pas, lui disait-elle, je sais le moyen de vous rendre votre mari; suivez seulement mes conseils, et ne vous embarrassez de rien. »

Comme le prince avait eu un fils de Belote, qui devait être son héritier, il ne se pressa point de prendre une autre femme, et ne pensa qu'à se bien divertir. Il goûtait extrêmement la conversation de Laidronette, et lui disait quelquefois, qu'il ne se remarierait jamais, à moins qu'il ne trouvât une femme qui eût autant d'esprit qu'elle.

«Mais, si elle était aussi laide que moi, lui répondit-elle, en riant.

— En vérité, madame, lui dit le prince, cela ne m'arrêterait pas un moment : on s'accoutume à un laid visage, le vôtre ne me paraît plus choquant, par l'habitude que j'ai de vous voir ; quand vous parlez, il ne s'en faut de rien que je ne vous trouve jolie ; et puis, à vous dire la vérité, Belote m'a dégoûté des belles, toutes les fois que j'en rencontre une, stupide, je n'ose lui parler, dans la crainte qu'elle ne me réponde une sottise.»

Cependant, le temps du carnaval arriva, et le prince crut qu'il se divertirait beaucoup, s'il pouvait courir le bal sans être connu de personne. Il ne se confia qu'à Laidronette, et la pria de se masquer avec lui ; car, comme elle était sa belle-sœur, personne ne pouvait y trouver à redire, et quand on l'aurait su, cela n'aurait pu nuire à sa réputation ; cependant, Laidronette en demanda la permission à son mari, qui y consentit, d'autant plus volontiers qu'il avait lui-même mis cette fantaisie en tête du prince, pour faire réussir le dessein qu'il avait, de le réconcilier avec Belote. Il écrivit à cette princesse abandonnée de concert avec son épouse, qui marqua en même temps à sa sœur, comment le prince devait être habillé. Dans le milieu du bal, Belote vint s'asseoir entre son mari et sa sœur, et commença une conversation extrêmement agréable avec eux : d'abord, le prince crut reconnaître la voix de sa femme ; mais elle n'eut pas parlé un demi-quart d'heure, qu'il perdit le soupçon qu'il avait eu au commencement. Le reste de la nuit passa si vite, à ce qu'il lui sembla, qu'il se frotta les yeux quand le jour parut, croyant rêver, et demeura charmé de l'esprit de l'inconnue, qu'il ne put jamais engager à se démasquer : tout ce qu'il en put obtenir, c'est qu'elle reviendrait au premier bal avec le même habit. Le prince s'y trouva des premiers ; et quoique l'inconnue y arrivât un quart d'heure après lui, il l'accusa de paresse, et lui jura qu'il s'était beaucoup impatienté. Il fut encore plus charmé de l'inconnue cette seconde fois que la première, et avoua à Laidronette qu'il était amoureux comme un fou de cette personne.

« J'avoue qu'elle a beaucoup d'esprit, lui répondit sa confidente ; mais si vous voulez que je vous dise mon sentiment, je soupçonne qu'elle est encore plus laide que moi : elle connaît que vous l'aimez, et craint de perdre votre cœur, quand vous verrez son visage.

— Ah ! madame, dit le prince, que ne peut-elle lire dans mon âme ! L'amour qu'elle m'a inspiré, est indépendant de ses traits : j'admire ses lumières, l'étendue de ses connaissances, la supériorité de son esprit, et la bonté de son cœur.

— Comment pouvez-vous juger de la bonté de son cœur ? lui dit Laidronette.

— Je vais vous le dire, reprit le prince, quand je lui ai fait remarquer de belles femmes, elle les a louées de bonne fois et elle m'a même fait remarquer avec adresse des beautés qu'elles avaient, et qui échappaient à ma vue. Quand j'ai voulu, pour l'éprouver, lui conter les mauvaises histoires qu'on mettait sur le compte de ces femmes, elle a détourné adroitement le discours, ou bien elle m'a interrompu, pour me raconter quelque belle action de ces personnes ; et enfin, quand j'ai voulu continuer, elle m'a fermé la bouche, en me disant qu'elle ne pouvait souffrir la médisance. Vous voyez bien, madame, qu'une femme qui n'est point jalouse de celles qui sont belles, une femme qui prend plaisir à dire du bien du prochain, une femme qui ne peut souffrir la médisance, doit être d'un excellent caractère, et ne peut manquer d'avoir un bon cœur. Que me manquera-t-il pour être heureux avec une telle femme, quand même elle serait aussi laide que vous le pensez ? Je suis donc résolu à lui déclarer mon nom, et à lui offrir de partager ma puissance. »

Effectivement, dans le premier bal, le prince apprit sa qualité à l'inconnue, et lui dit qu'il n'y avait point de bonheur à espérer pour lui, s'il n'obtenait pas sa main ; mais, malgré ces offres, Belote s'obstina à demeurer masquée, ainsi qu'elle en était convenue avec sa sœur. Voilà le pauvre prince dans une inquiétude épouvantable. il pensait comme Laidronette, que cette personne si spirituelle devait être un monstre, puisqu'elle avait tant de répugnance à se laisser voir ; mais quoiqu'il se la peignît de la manière du monde la plus désagréable, cela ne diminuait point l'attachement, l'estime, et le respect, qu'il avait conçus pour son esprit et pour sa vertu. Il était tout prêt à tomber malade de chagrin, lorsque l'inconnue lui dit :

« Je vous aime, mon prince, et je ne chercherai point à vous le cacher ; mais plus mon amour est grand, plus je crains de vous perdre, quand vous me connaîtrez. Vous vous figurez, peut-être, que j'ai de grands yeux, une petite bouche, de belles dents, un teint de lis et de roses ; et si par aventure j'allais me trouver des yeux louches, une grande bouche, un nez camard, des dents gâtées, vous me prieriez bien vite, de remettre mon masque. D'ailleurs, quand je ne serais pas si horrible, je sais que vous êtes inconstant : vous avez aimé Belote à la folie, et cependant vous vous en êtes dégoûté.

— Ah ! madame, dit le prince, soyez mon juge ; j'étais jeune, quand j'épousai Belote, et je vous avoue que je ne m'étais jamais occupé qu'à la regarder, et point à l'écouter ; mais lorsque je fus son mari, et que l'habitude de la voir eut dissipé mon illusion, imaginez-vous si ma situation dut être bien agréable ? Quand je me trouvais seul avec mon épouse, elle me parlait d'une robe nouvelle qu'elle devait mettre le lendemain, des souliers de celle-ci, des diamants de celle-là. S'il se trouvait à ma table une personne d'esprit, et que l'on voulût parler de quelque chose de raisonnable, Belote commençait par bâiller, et finissait par s'endormir. Je voulus essayer de l'engager à s'instruire, cela l'impatienta ; elle était si ignorante, qu'elle me faisait trembler et rougir toutes les fois qu'elle ouvrait la bouche. D'ailleurs, elle avait tous les défauts des sottes : quand elle s'était fourré une chose dans la tête, il n'était pas possible de l'en faire revenir en lui donnant de bonnes raisons, car elle ne pouvait les comprendre. Encore, s'il m'avait été permis de me désennuyer d'un autre côté, j'aurais eu patience, mais ce n'était pas là son compte : elle eût voulu que le sot amour, qu'elle m'avait inspiré, eût duré toute ma vie, et m'eût rendu son esclave. Vous voyez bien qu'elle m'a mise dans la nécessité de faire casser mon mariage.

— J'avoue que vous étiez à plaindre, lui répondit l'inconnue ; mais tout ce que vous dites, ne me rassure point. Vous dites que vous m'aimez, voyez si vous serez assez hardi pour m'épouser aux yeux de tous vos sujets, sans m'avoir vue.

— Je suis le plus heureux de tous les hommes, puisque vous ne demandez que cela, répondit le prince ; venez dans mon palais avec Laidronette, et demain, dès le matin, je ferai assembler mon conseil, pour vous épouser à ses yeux. »

Le reste de la nuit parut bien long au prince, et avant de quitter le bal, s'étant démasqué, il ordonna à tous les seigneurs de la cour, de se rendre dans son palais, et fit avertir tous les ministres. Ce fut en leur présence qu'il raconta ce qui lui était arrivé avec l'inconnue ; et après avoir fini son discours, il jura de n'avoir jamais d'autre épouse qu'elle, telle que pût être sa figure. Il n'y eut personne qui ne crût, comme le prince, que celle qu'il épousait ainsi ne fût horrible à voir : quelle fut la surprise de tous les assistants, lorsque Belote, s'étant démasquée, leur fit voir la plus belle personne qu'on pût imaginer ? Ce qu'il y eut de plus singulier, c'est que le prince, ni les autres, ne la reconnurent pas d'abord, tant le repos et la solitude l'avaient embellie ; on se disait seulement tout bas, que l'autre princesse lui ressemblait en laid. Le prince extasié, d'être trompé si agréablement, ne pouvait parler ; mais Laidronette rompit le silence, pour féliciter sa sœur du retour de la tendresse de son époux.

« Quoi ! s'écria le roi, cette charmante et spirituelle personne est Belote ? Par quel enchantement a-t-elle joint aux charmes de la figure, ceux de l'esprit et du caractère qui lui manquaient absolument ? Quelque fée favorable a-t-elle fait ce miracle en sa faveur ?

— Il n'y a point de miracle, reprit Belote, j'avais négligé de cultiver les dons de la nature ; mes malheurs, la solitude et les conseils de ma sœur, m'ont ouvert les yeux, et m'ont engagée à acquérir des grâces à l'épreuve du temps et des maladies.

— Et ces grâces m'ont inspiré un attachement à l'épreuve de l'inconstance », lui dit le prince en l'embrassant.

Effectivement, il l'aima toute sa vie avec une fidélité, qui lui fit oublier ses malheurs passés.

Conte du pêcheur et du voyageur

Il y avait une fois un homme qui n'avait pour tout bien qu'une pauvre cabane sur le bord d'une petite rivière : il gagnait sa vie à pêcher du poisson ; mais comme il n'y en avait guère dans cette rivière, il ne gagnait pas grand-chose, et ne vivait presque que de pain et d'eau. Cependant il était content dans sa pauvreté, parce qu'il ne souhaitait rien que ce qu'il avait. Un jour, il lui prit fantaisie de voir la ville, et il résolut d'y aller le lendemain. Comme il pensait à faire ce voyage, il rencontra un voyageur qui lui demanda s'il y avait bien loin jusqu'à un village, pour trouver une maison où il pût coucher.

« Il y a douze milles, répondit le pêcheur, et il est bien tard ; si vous voulez passer la nuit dans ma cabane, je vous l'offre de bon cœur. »

Le voyageur accepta sa proposition, et le pêcheur, qui voulait le régaler, alluma du feu, pour faire cuire quelques petits poissons. Pendant qu'il apprêtait le souper, il chantait, il riait et paraissait de fort bonne humeur.

« Que vous êtes heureux ! lui dit son hôte, de pouvoir vous divertir : je donnerais tout ce que je possède au monde, pour être aussi gai que vous.

— Et qui vous en empêche ? dit le pêcheur, ma joie ne me coûte rien, et je n'ai jamais eu sujet d'être triste. Est-ce que vous avez quelque grand chagrin, qui ne vous permet pas de vous réjouir ?

— Hélas, reprit le voyageur, tout le monde me croit le plus heureux des hommes. J'étais marchand, et je gagnais de grands biens, mais je n'avais pas un moment de repos. Je craignais toujours qu'on ne me fît banqueroute, que mes marchandises ne se gâtassent, que les vaisseaux que j'avais sur la mer, ne fissent naufrage ; ainsi, j'ai quitté le commerce pour essayer d'être plus tranquille, et j'ai acheté une charge chez le roi. D'abord, j'ai eu le bonheur de plaire au prince, je suis devenu son favori, et je croyais que j'allais être content ; mais je connus bientôt que j'étais plus esclave du prince, que son favori. Il fallait renoncer à tout moment à mes inclinations, pour suivre les siennes. Il aimait la chasse et moi le repos ; cependant j'étais obligé de courir avec lui les bois toute la journée : je revenais au palais bien fatigué, et avec une grande envie de me coucher. Point du tout, la maîtresse du roi donnait un bal, un festin ; on me faisait l'honneur de m'en prier pour faire sa cour au roi : j'y allais en enrageant ; mais l'amitié du prince me consolait un peu. Il y a environ quinze jours qu'il s'est avisé de parler d'un air d'amitié à un des seigneurs de sa cour, il lui a donné deux commissions, et a dit qu'il le croyait un fort honnête homme. Dès ce moment j'ai bien vu que j'étais perdu, et j'ai passé plusieurs nuits sans dormir.

— Mais, dit le pêcheur, en interrompant son hôte, est-ce que le roi vous faisait mauvais visage, et ne vous aimait plus ?

— Pardonnez-moi, répondit cet homme, le roi me faisait plus d'amitié qu'à l'ordinaire ; mais pensez donc qu'il ne m'aimait plus tout seul, et que tout le monde disait que ce seigneur allait devenir un second favori. Vous sentez bien que cela est insupportable, aussi ai-je manqué en mourir de chagrin. Je me retirai hier au soir dans ma chambre tout triste, et quand je fus seul, je me mis à pleurer. Tout d'un coup, je vis un grand homme, d'une physionomie fort agréable, qui me dit, « Azaël, j'ai pitié de ta misère, veux-tu devenir tranquille, renonce à l'amour des richesses et au désir des honneurs. — Hélas ! Seigneur, ai-je dit à cet homme, je le souhaiterais de tout mon cœur ; mais comment y réussir ? — Quitte la cour, m'a-t-il dit, et marche pendant deux jours par le premier chemin qui s'offrira à ta vue ; la folie d'un homme te prépare un spectacle capable de te guérir pour jamais de l'ambition. Quand tu auras marché pendant deux jours, reviens sur tes pas, et crois fermement qu'il ne tiendra qu'à toi de vivre gai et tranquille. » J'ai déjà marché un jour entier pour obéir à cet homme, et je marcherai encore demain : mais j'ai bien de la peine à espérer le repos qu'il m'a promis. »

Le pêcheur ayant écouté cette histoire, ne put s'empêcher d'admirer la folie de cet ambitieux, qui faisait dépendre son bonheur des regards et des paroles du prince.

« Je serai charmé de vous revoir, et d'apprendre votre guérison, dit-il au voyageur : achevez votre voyage, et dans deux jours revenez dans ma cabane ; je vais voyager aussi ; je n'ai jamais été à la ville, et je m'imagine que je me divertirai beaucoup de tout le tracas qu'il doit y avoir.

— Vous avez là une mauvaise pensée, dit le voyageur : puisque vous êtes heureux à présent, pourquoi cherchez-vous à vous rendre misérable ? Votre cabane vous paraît suffisante aujourd'hui mais quand vous aurez vu les palais des grands, elle vous paraîtra bien petite et bien chétive. Vous êtes content de votre habit, parce qu'il vous couvre ; mais il vous fera mal au cœur, quand vous aurez examiné les superbes vêtements des riches.

— Monsieur, dit le pêcheur à son hôte, vous parlez comme un livre, servez-vous de ces belles raisons, pour apprendre à ne vous pas fâcher quand on regarde les autres, ou qu'on leur parle. Le monde est plein de ces gens qui conseillent les autres, pendant qu'ils ne peuvent se gouverner eux-mêmes. »

Le voyageur ne répliqua rien, parce qu'il n'est pas honnête de contredire les gens dans leur maison, et le lendemain il continua son voyage, pendant que le pêcheur commençait le sien. Au bout de deux jours, le voyageur Azaël, qui n'avait rien rencontré d'extraordinaire, revint à la cabane. Il trouva le pêcheur assis devant sa porte, la tête appuyée dans sa main, et les yeux fixés contre terre.

« À quoi pensez-vous ? lui demanda Azaël.

— Je pense que je suis fort malheureux, répondit le pêcheur. Qu'est-ce que j'ai fait à Dieu pour m'avoir rendu si pauvre pendant qu'il y a une si grande quantité d'hommes si riches et si contents ? »

Dans le moment, cet homme qui avait commandé à Azaël de marcher pendant deux jours, et qui était un ange, parut.

« Pourquoi n'as-tu pas suivi les conseils d'Azaël ? dit-il au pêcheur. La vue des magnificences de la ville a fait naître chez toi l'avarice et l'ambition, elles en ont chassé la joie et la paix. Modère tes désirs, et tu retrouveras ces précieux avantages.

— Cela vous est bien aisé à dire, reprit le pêcheur ; mais cela ne m'est pas possible, et je sens que je serai toujours malheureux, à moins qu'il ne plaise à Dieu de changer ma situation.

— Ce serait pour ta perte, lui dit l'ange. Crois-moi, ne souhaite que ce que tu as.

— Vous avez beau parler, reprit le pêcheur, vous ne m'empêcherez pas de souhaiter une autre situation.

— Dieu exauce quelquefois les vœux de l'ambitieux, répondit l'ange ; mais c'est dans sa colère, et pour le punir.

— Et que vous importe, dit le pêcheur. S'il ne tenait qu'à souhaiter, je ne m'embarrasserais guère de vos menaces.

— Puisque tu veux te perdre, dit l'ange, j'y consens : tu peux souhaiter trois choses, Dieu te les accordera. »

Le pêcheur transporté de joie, souhaita que sa cabane fût changée en un palais magnifique, et aussitôt son souhait fut accompli. Le pêcheur, après avoir admiré ce palais, souhaita que la petite rivière qui était devant sa porte, fût changée en une grande mer, et aussitôt son souhait fut accompli. Il lui en restait un troisième à faire ; il y rêva quelque temps, et ensuite il souhaita que la petite barque fût changée en un vaisseau superbe, chargé d'or et de diamants. Aussitôt qu'il vit le vaisseau, il y courut pour admirer les richesses dont il était devenu le maître ; mais à peine y fut-il entré, qu'il s'éleva un grand orage. Le pêcheur voulut revenir au rivage et descendre à terre, mais il n'y avait pas moyen. Ce fut alors qu'il maudit son ambition : regrets inutiles, la mer l'engloutit avec toutes ses richesses, et l'ange dit à Azaël :

« Que cet exemple te rende sage. La fin de cet homme est presque toujours celle de l'ambitieux. La cour où tu vis présentement, est une mer fameuse par les naufrages et les tempêtes : pendant que tu le peux encore, gagne le rivage, tu le souhaiteras un jour sans pouvoir y parvenir. »

Azaël effrayé promit d'obéir à l'ange, et lui tint parole. Il quitta la cour, et vint demeurer à la campagne, où il se maria avec une fille qui avait plus de vertu que de beauté et fortune. Au lieu de chercher à augmenter ses grandes richesses, il ne s'appliqua plus qu'à en jouir avec modération, et à en distribuer le superflu aux pauvres. Il se vit alors heureux et content, et il ne passa aucun jour sans remercier Dieu de l'avoir guéri de l'avarice et de l'ambition, qui avaient jusqu'alors empoisonné tout le bonheur de sa vie.

Joliette ou le danger de rapporter

Il y avait une fois un seigneur et une dame qui étaient mariés depuis plusieurs années, sans avoir d'enfants : ils croyaient qu'il ne leur manquait que cela pour être heureux, car ils étaient riches et estimés de tout le monde. À la fin, ils eurent une fille, et toutes les fées qui étaient dans le pays, vinrent à son baptême, pour lui faire des dons. L'une dit qu'elle serait belle comme un ange ; l'autre, qu'elle danserait à ravir ; une troisième, qu'elle ne serait jamais malade ; une quatrième, qu'elle aurait beaucoup d'esprit. La mère était bien joyeuse de tous les dons qu'on faisait à sa fille : belle, spirituelle, une bonne santé, des talents. Qu'est-ce qu'on pouvait donner de mieux à cet enfant qu'on nommait Joliette ? On se mit à table pour se divertir ; mais lorsqu'on eut à moitié soupé, on vint dire au père de Joliette que la reine des fées, qui passait par là, voulait entrer. Toutes les fées se levèrent pour aller au-devant de leur reine ; mais elle avait un visage si sévère, qu'elle les fit toutes trembler.

« Mes sœurs, dit-elle, lorsqu'elle fut assise ; est-ce ainsi que vous employez le pouvoir que vous avez reçu du ciel ? Pas une de vous n'a pensé à douer Joliette d'un bon cœur, d'inclinations vertueuses. Je vais tâcher de remédier au mal que vous lui avez fait ; je la doue d'être muette jusqu'à l'âge de vingt ans ; plût à Dieu qu'il fût en mon pouvoir de lui ôter absolument l'usage de la langue. »

En même temps la fée disparut, et laissa le père et la mère de Joliette dans le plus grand désespoir du monde ; car ils ne concevaient rien de plus triste, que d'avoir une fille muette. Cependant Joliette devenait charmante ; elle s'efforçait de parler quand elle eut deux ans, et l'on connaissait par ses petits gestes, qu'elle entendait tout ce qu'on lui disait, et qu'elle mourait d'envie de répondre. On lui donna toutes sortes de maîtres, et elle apprenait avec une promptitude surprenante : elle avait tant d'esprit qu'elle se faisait entendre par des gestes, et rendait compte à sa mère de tout ce qu'elle voyait, ou entendait. D'abord on admirait cela, mais le père qui était un homme de bon sens, dit à sa femme :

« Ma chère, vous laissez prendre une mauvaise habitude à Joliette ; c'est un petit espion. Qu'avons-nous besoin de savoir tout ce qui se fait dans la ville ? On ne se méfie pas d'elle, parce qu'elle est une enfant, et qu'on sait qu'elle ne peut pas parler, et elle vous fait savoir tout ce qu'elle entend : il faut la corriger de ce défaut, il n'y a rien de plus vilain que d'être une rapporteuse. »

La mère qui idolâtrait Joliette, et qui était naturellement curieuse, dit à son mari qu'il n'aimait pas cette pauvre enfant, parce qu'elle avait le défaut d'être muette ; qu'elle était déjà assez malheureuse avec son infirmité, et qu'elle ne pouvait se résoudre à la rendre encore plus misérable en la contredisant. Le mari qui ne se paya pas de ces mauvaises raisons, prit Joliette en particulier, et lui dit :

« Ma chère enfant, vous me chagrinez. La bonne fée qui vous a rendue muette, avait sans doute prévu que vous seriez une rapporteuse ; mais à quoi cela sert-il que vous ne puissiez parler, puisque vous vous faites entendre par signes ; savez-vous ce qu'il arrivera : vous vous ferez haïr de tout le monde, on vous fuira comme si vous aviez la peste, et on aura raison, car vous causerez plus de mal que cette affreuse maladie. Un rapporteur brouille tout le monde, et cause des maux épouvantables : pour moi, si vous ne vous corrigez pas, je souhaiterais de tout mon cœur que vous fussiez aussi aveugle et sourde. »

Joliette n'était pas méchante ; c'était par étourderie, qu'elle découvrait ce qu'elle avait vu ; ainsi, elle lui promit par signes qu'elle se corrigerait. Elle en avait intention, mais deux ou trois jours après, elle entendit une dame qui se moquait d'une de ses amies : elle savait écrire alors, et elle mit sur un papier ce qu'elle avait entendu. Elle avait écrit cette conversation avec tant d'esprit, que sa mère ne pût s'empêcher de rire de ce qu'il y avait de plaisant, et d'admirer le style de sa fille. Joliette avait de la vanité : elle fut si contente des louanges que sa mère lui donna, qu'elle écrivait tout ce qui se passait devant elle. Ce que son père lui avait prédit arriva ; elle se fit haïr de tout le monde. On se cachait d'elle, on parlait bas quand elle entrait, et on craignait de se trouver dans les assemblées dont elle était priée. Malheureusement pour elle, son père mourut, quand elle n'avait que douze ans ; et personne ne lui faisant plus honte de son défaut, elle prit une telle habitude de rapporter, qu'elle le faisait même sans y penser; elle passait toute la journée à espionner les domestiques qui la haïssaient comme la mort: si elle était dans un jardin, elle faisait semblant de dormir pour entendre les discours de ceux qui se promenaient. Mais comme plusieurs parlaient à la fois, et qu'elle n'avait pas assez de mémoire pour retenir ce que l'on disait, elle faisait dire aux uns ce que les autres avaient dit; elle écrivait le commencement d'un discours, sans en entendre la fin, ou la fin, sans en savoir le commencement. Il n'y avait pas de semaine qu'il n'y eût vingt tracasseries, ou querelles dans la ville, et quand on venait à examiner d'où venaient ces bruits, on découvrait que cela provenait des rapports de Joliette. Elle brouilla sa mère avec toutes ses amies, et fit battre trois ou quatre personnes.

Cela dura jusqu'au jour où elle eut vingt ans; elle attendait ce jour avec une grande impatience, pour parler tout à son aise: il vint enfin, et la reine des fées, se présentant devant elle, lui dit:

«Joliette, avant de vous rendre l'usage de la parole, dont certainement vous abuserez, je vais vous faire voir tous les maux que vous avez causés par vos rapports.» En même temps elle lui présenta un miroir, et elle y vit un homme suivi de trois enfants, qui demandaient l'aumône avec leur père. «Je ne connais pas cet homme, dit Joliette, qui parlait pour la première fois; quel mal lui ai-je causé?

— Cet homme était un riche marchand, lui répondit la fée; il avait dans son magasin beaucoup de marchandises: mais il manquait d'argent comptant. Cet homme vint emprunter une somme à votre père, pour payer une lettre de change; vous écoutiez à la porte du cabinet, et vous fîtes connaître la situation de ce marchand, à plusieurs personnes à qui il devait de l'argent; cela lui fit perdre son crédit, tout le monde voulut être payé, et la justice s'étant mêlée de cette affaire, le pauvre homme et ses enfants sont réduits à l'aumône depuis neuf ans.

— Ah, mon Dieu, Madame! dit Joliette, je suis au désespoir d'avoir commis ce crime; mais je suis riche, je veux réparer le mal que j'ai fait, en rendant à cet homme le bien que je lui ai fait perdre par mon imprudence.»

Après cela Joliette vit une belle femme dans une chambre dont les fenêtres étaient garnies de grilles de fer; elle était couchée sur de la paille, ayant une cruche d'eau, et un morceau de pain à côté d'elle ; ses grands cheveux noirs tombaient sur ses épaules, et son visage était baigné de larmes.

« Ah ! mon Dieu ! dit Joliette, je connais cette dame ; son mari l'a menée en France depuis deux ans, et il a écrit qu'elle était morte ; serait-il possible que je fusse la cause de l'affreuse situation de cette dame ?

— Oui, Joliette, reprit la fée ; mais ce qu'il y a de plus terrible, c'est que vous êtes encore la cause de la mort d'un homme que le mari de cette dame a tué. Vous souvenez-vous qu'un soir étant dans un jardin, sur un banc, vous fîtes semblant de dormir, pour entendre ce que disaient ces deux personnes ; vous comprîtes par leurs discours qu'ils s'aimaient, et vous le fîtes savoir à toute la ville. Ce bruit vint jusqu'aux oreilles du mari de cette dame, qui est un homme fort jaloux ; il tua ce cavalier, et a mené cette dame en France ; il l'a fait passer pour morte, afin de pouvoir la tourmenter plus longtemps ; cependant cette pauvre dame était innocente. Le gentilhomme lui parlait de l'amour qu'il avait pour une de ses cousines qu'il voulait épouser ; mais comme ils parlaient bas, vous n'avez entendu que la moitié de leur conversation que vous avez écrite, et cela a causé ces horribles malheurs.

— Ah ! s'écria Joliette, je suis une malheureuse, je ne mérite pas de voir le jour.

— Attendez à vous condamner, que vous ayez connu tous vos crimes, lui dit la fée. Regardez cet homme couché dans ce cachot, couvert de chaînes ; vous avez découvert une conversation fort innocente, que tenait cet homme, et comme vous ne l'aviez écoutée qu'à moitié, vous avez cru entendre qu'il était d'intelligence avec les ennemis du roi. Un jeune étourdi fort méchant homme, une femme aussi babillarde que vous, qui n'aimaient pas ce pauvre homme qui est prisonnier, ont répété et augmenté ce que vous leur aviez fait entendre de cet homme ; ils l'ont fait mettre dans ce cachot, d'où il ne sortira que pour assommer le rapporteur à coup de bâtons, et vous traiter comme la dernière des femmes, si jamais il vous rencontre. »

Après cela, la fée montra à Joliette quantité de domestiques sur le pavé, et manquant de pain, des maris séparés de leurs femmes ; des enfants déshérités par leurs pères ; et tout cela, à cause de ses rapports. Joliette était inconsolable, et promit de se corriger.

«Vous êtes trop vieille pour vous corriger, lui dit la fée; des défauts qu'on a nourris jusqu'à vingt ans, ne se corrigent pas après cela, quand on le veut; je ne sais qu'un remède à ce mal; c'est d'être aveugle, sourde et muette, pendant dix ans, et de passer tout ce temps à réfléchir sur les malheurs que vous avez causés.»

Joliette n'eut pas le courage de consentir à un remède qui lui paraissait si terrible; elle promit pourtant, de ne rien épargner pour devenir silencieuse; mais la fée lui tourna le dos sans vouloir l'écouter; car elle savait bien que, si elle avait eu une vraie envie de se corriger, elle en aurait pris les moyens. Le monde est plein de ces sortes de gens, qui disent: Je suis bien fâchée d'être gourmande, colère, menteuse; je souhaiterais de tout mon cœur de me corriger. Ils mentent assurément, car si on leur dit: Pour corriger votre gourmandise, il ne faut jamais manger hors des repas, et rester toujours sur votre appétit, quand vous sortez de table. Pour vous guérir de votre colère, il faut imposer une bonne pénitence, toutes les fois que vous vous emporterez. Si, dis-je, on leur dit de se servir de ces moyens, ils répondent, cela est trop difficile. C'est-à-dire qu'ils voudraient que Dieu fît un miracle, pour les corriger tout d'un coup, sans qu'il leur en coûtât aucune peine.

Voilà précisément comme pensait Joliette; mais avec cette fausse bonne volonté, on ne se corrige de rien. Comme elle était détestée de toutes les personnes qui la connaissaient, malgré son esprit, sa beauté et ses talents, elle résolut d'aller demeurer dans un autre pays. Elle vendit donc tout son bien, et partit avec sa sotte mère. Elles arrivèrent dans une grande ville, où l'on fut d'abord charmé de Joliette. Plusieurs seigneurs la demandèrent en mariage, et elle en choisit un qu'elle aimait passionnément. Elle vécut un an fort heureuse avec lui. Comme la ville dans laquelle elle demeurait était bien grande, on ne connut pas sitôt qu'elle était rapporteuse, parce qu'elle voyait beaucoup de gens, qui ne se connaissaient pas les uns et les autres. Un jour, après souper, son mari parlait de plusieurs personnes, et il vint à dire qu'un tel seigneur n'était pas un fort honnête homme, parce qu'il lui avait vu faire plusieurs mauvaises actions. Deux jours après, Joliette étant dans une grande mascarade, un homme couvert d'un domino la pria de danser, et vint ensuite s'asseoir auprès d'elle. Comme elle parlait bien, il s'amusa beaucoup de la conversation, d'autant plus qu'elle savait toutes les histoires scandaleuses de la ville, et qu'elle les racontait avec beaucoup d'esprit. La femme du seigneur, dont son mari lui avait parlé, vint à danser; et Joliette dit à ce masque, qui avait un domino:

«Cette femme est fort aimable; c'est bien dommage qu'elle soit mariée à un malhonnête homme.

— Connaissez-vous le mari dont vous parlez si mal? lui demanda le masque.

— Non, répondit Joliette, mais mon mari qui le connaît parfaitement, m'a raconté plusieurs vilaines histoires qui sont sur son compte.»

Et tout de suite, Joliette raconta ces histoires, qu'elle augmenta selon la mauvaise habitude qu'elle avait prise, afin d'avoir occasion de faire briller son esprit. Le masque l'écouta très attentivement, et elle était fort aise de l'attention qu'il lui donnait, parce qu'elle pensait qu'il l'admirait. Quand elle eut fini, il se leva, et un quart d'heure après, on vint dire à Joliette que son mari se mourait, parce qu'il s'était battu contre un homme auquel il avait ôté la réputation. Joliette courut tout en pleurs, au lieu où était son mari qui n'avait plus qu'un quart d'heure à vivre. «Retirez-vous, mauvaise créature, lui dit cet homme mourant. C'est votre langue et vos rapports qui m'ôtent la vie.»

Et peu de temps après, il expira. Joliette, qui l'aimait à la folie, le voyant mort, se jeta toute furieuse sur son épée, et se la passa au travers du corps. Sa mère qui vit cet horrible spectacle, en fut si saisie qu'elle en tomba malade de chagrin, et mourut aussi en maudissant la curiosité, et la sotte complaisance qu'elle avait eue pour sa fille, dont elle avait causé la perte.

La Curiosité

Un jour, un roi, qui était à la chasse, se perdit. Comme il cherchait le chemin, il entendit parler, et s'étant approché de l'endroit d'où sortait la voix, il vit un homme et une femme qui travaillaient à couper du bois. La femme disait :

«Il faut avouer, que notre mère Ève était bien gourmande, d'avoir mangé de la pomme. Si elle avait obéi à Dieu, nous n'aurions pas la peine de travailler tous les jours.» L'homme lui répondit :

«Si Ève était une gourmande, Adam était bien sot de faire ce qu'elle lui disait. Si j'avais été en sa place, et que vous m'eussiez voulu faire manger de ces pommes, je vous aurais donné un bon soufflet, et je n'aurais pas voulu seulement vous écouter.»

Le roi s'approcha, et leur dit :

«Vous avez donc bien de la peine, mes pauvres gens.

— Oui, Monsieur, répondirent-ils (car ils ne savaient pas que c'était le roi), nous travaillons comme des chevaux, depuis le matin jusqu'au soir, et encore nous avons bien du mal à vivre.

— Venez avec moi, leur dit le roi, je vous nourrirai sans travailler.»

Dans le moment les officiers du roi, qui le cherchaient, arrivèrent ; et les pauvres gens furent bien étonnés et bien joyeux. Quand ils furent dans le palais, le roi leur fit donner de beaux habits, un carrosse, des laquais ; et tous les jours ils avaient douze plats pour leur dîner. Au bout d'un mois, on leur servit vingt-quatre plats : mais dans le milieu de la table, on en mit un grand qui était fermé. D'abord, la femme qui était curieuse, voulut ouvrir ce plat ; mais un officier du roi, qui était présent, lui dit que le roi leur défendait d'y toucher, et qu'il ne voulait pas qu'ils vissent ce qui était dedans. Quand les domestiques furent sortis, le mari s'aperçut que sa femme ne mangeait pas et qu'elle était triste ; il lui demanda ce qu'elle avait, et elle lui répondit, qu'elle ne se souciait pas de manger de toutes les bonnes choses qui étaient sur la table, mais qu'elle avait envie de ce qui était dans ce plat couvert :

« Vous êtes folle, lui dit son mari, ne vous a-t-on pas dit que le roi nous le défendait ?

— Le roi est un injuste, dit la femme ; s'il ne voulait pas que nous vissions ce qui est dans ce plat, il ne fallait pas le faire servir sur la table. »

En même temps, elle se mit à pleurer, et dit qu'elle se tuerait, si son mari ne voulait pas ouvrir le plat. Quand son mari la vit pleurer, il fut bien fâché, et comme il l'aimait beaucoup, il lui dit qu'il ferait tout ce qu'elle voudrait, pour qu'elle ne se chagrinât pas. En même temps, il ouvrit le plat, et il en sortit une petite souris, qui se sauva dans la chambre. Ils coururent après elle pour la rattraper ; mais elle se cacha dans un petit trou, et aussitôt le roi entra, qui demanda où était la souris.

« Sire, dit le mari, ma femme m'a tourmenté, pour voir ce qui était dans le plat, je l'ai ouvert malgré moi, et la souris s'est sauvée.

— Ah, ah ! dit le roi, vous disiez, que si vous eussiez été à la place d'Adam, vous eussiez donné un soufflet à Ève, pour lui apprendre à être curieuse et gourmande : il fallait vous souvenir de vos promesses. Et vous, méchante femme ; vous aviez toutes sortes de bonnes choses, comme Ève, et cela n'était pas assez : vous vouliez manger du plat que je vous avais défendu. Allez, malheureux, retournez travailler dans le bois, et ne vous en prenez plus à Adam et à sa femme, du mal que vous aurez, puisque vous avez fait une sottise pareille à celle dont vous les accusiez. »

La Veuve et ses deux filles

Il y avait une veuve, assez bonne femme, qui avait deux filles, toutes deux fort aimables ; l'aînée se nommait Blanche, la seconde Vermeille. On leur avait donné ces noms, parce qu'elles avaient, l'une le plus beau teint du monde, et la seconde des joues et des lèvres vermeilles comme du corail. Un jour la bonne femme, étant près de sa porte, à filer, vit une pauvre vieille, qui avait bien de la peine à se traîner avec son bâton.

«Vous êtes bien fatiguée, dit la bonne femme à la vieille. Asseyez-vous un moment pour vous reposer» ; et aussitôt, elle dit à ses filles de donner une chaise à cette femme. Elles se levèrent toutes les deux ; mais Vermeille courut plus fort que sa sœur, et apporta la chaise. «Voulez-vous boire un coup ? dit la bonne femme à la vieille.

— De tout mon cœur, répondit-elle ; il me semble même, que je mangerais bien un morceau, si vous pouviez me donner quelque chose pour me ragoûter.

— Je vous donnerai tout ce qui est en mon pouvoir, dit la bonne femme ; mais, comme je suis pauvre, ce ne sera pas grand-chose.»

En même temps, elle dit à ses filles de servir la bonne vieille, qui se mit à table : et la bonne femme commanda à l'aînée d'aller cueillir quelques prunes qu'elle avait plantées elle-même et qu'elle aimait beaucoup. Blanche, au lieu d'obéir de bonne grâce à sa mère, murmura contre cet ordre, et dit en elle-même : Ce n'est pas pour cette vieille gourmande que j'ai eu tant de soin de mon prunier. Elle n'osa pourtant pas refuser quelques prunes, mais elle les donna de mauvaise grâce et à contrecœur.

«Et vous, Vermeille dit la bonne femme, à la seconde de ses filles, vous n'avez pas de fruit à donner à cette bonne dame, car vos raisins ne sont pas mûrs.

— Il est vrai, dit Vermeille, mais j'entends ma poule qui chante, elle vient de pondre un œuf, et si madame veut l'avaler tout chaud, je le lui offre de tout mon cœur.»

En même temps, sans attendre la réponse de la vieille, elle courut chercher son œuf ; mais dans le moment qu'elle le présentait à cette femme, elle disparut, et l'on vit à sa place une belle dame, qui dit à la mère :

« Je vais récompenser vos deux filles selon leur mérite. L'aînée deviendra une grande reine, et la seconde une fermière » ; et en même temps, ayant frappé la maison de son bâton, elle disparut, et l'on vit à la place une jolie ferme. « Voilà votre partage, dit-elle à Vermeille. Je sais que je vous donne à chacune ce que vous aimez le mieux. »

La fée s'éloigna, en disant ces paroles ; et la mère, aussi bien que les deux filles, restèrent fort étonnées. Elles entrèrent dans la ferme, et furent charmées de la propreté des meubles. Les chaises n'étaient que de bois ; mais elles étaient si propres, qu'on s'y voyait comme dans un miroir. Les lits étaient de toiles, blanches comme la neige. Il y avait dans les étables vingt moutons, autant de brebis, quatre bœufs, quatre vaches ; et dans la cour, toutes sortes d'animaux ; comme des poules, des canards, des pigeons et autres. Il y avait aussi un joli jardin, rempli de fleurs et de fruits. Blanche voyait sans jalousie le don qu'on avait fait à sa sœur, et elle n'était occupée que du plaisir qu'elle aurait d'être reine. Tout d'un coup, elle entendit passer des chasseurs, et étant allée sur la porte pour les voir, elle parut si belle aux yeux du roi, qu'il résolut de l'épouser. Blanche, étant devenue reine, dit à sa sœur Vermeille :

« Je ne veux pas que vous soyez fermière ; venez avec moi, ma sœur, je vous ferai épouser un grand seigneur.

— Je vous suis bien obligée, ma sœur, répondit Vermeille ; je suis accoutumée à la campagne, et je veux y rester. »

La reine Blanche partit donc, et elle était si contente, qu'elle passa plusieurs nuits sans dormir de joie. Les premiers mois, elle fut si occupée de ses beaux habits, des bals, des comédies, qu'elle ne pensait à autre chose. Mais bientôt elle s'accoutuma à tout cela, et rien ne la divertissait plus ; au contraire, elle eut de grands chagrins. Toutes les dames de la cour lui rendaient de grands respects, quand elles étaient devant elle ; mais elle savait qu'elles ne l'aimaient pas, et qu'elles disaient, « voyez cette petite paysanne, comme elle fait la grande dame ; le roi a le cœur bien bas, d'avoir pris telle femme ». Ce discours fit faire des réflexions au roi. Il pensa qu'il avait eu tort d'épouser Blanche ; et comme son amour pour elle était passé, il eut un grand nombre de maîtresses. Quand on vit que le roi n'aimait plus sa femme, on commença à ne plus lui rendre aucun devoir. Elle était très malheureuse, car elle n'avait pas une seule bonne amie, à qui elle pût conter ses chagrins. Elle voyait que c'était la mode, à la cour, de trahir ses amis par intérêt ; de faire bonne mine à ceux que l'on haïssait, et de mentir à tout moment. Il fallait être sérieuse, parce qu'on lui disait qu'une reine doit avoir un air grave et majestueux. Elle eut plusieurs enfants ; et pendant tout ce temps, elle avait un médecin auprès d'elle, qui examinait tout ce qu'elle mangeait, et lui ôtait toutes les choses qu'elle aimait. On ne mettait point de sel dans ses bouillons ; on lui défendait de se promener, quand elle en avait envie ; en un mot, elle était contredite depuis le matin jusqu'au soir. On donna des gouvernantes à ses enfants, qui les élevaient tout de travers, sans qu'elle eût la liberté d'y trouver à redire. La pauvre Blanche se mourait de chagrin, et elle devint si maigre, qu'elle faisait pitié à tout le monde. Elle n'avait pas vu sa sœur, depuis trois ans qu'elle était reine, parce qu'elle pensait qu'une personne de son rang serait déshonorée, d'aller rendre visite à une fermière ; mais, se voyant accablée de mélancolie, elle résolut d'aller passer quelques jours à la campagne, pour se désennuyer. Elle en demanda la permission au roi, qui la lui accorda de bon cœur, parce qu'il pensait qu'il serait débarrassé d'elle pendant quelque temps. Elle arriva sur le soir à la ferme de Vermeille, et elle vit de loin, devant la porte, une troupe de bergers et de bergères, qui dansaient et se divertissaient de tout leur cœur.

« Hélas ! dit la reine, en soupirant, où est le temps que je me divertissais comme ces pauvres gens ? Personne n'y trouvait à redire. »

D'abord qu'elle parut, sa sœur accourut pour l'embrasser. Elle avait un air si content, elle était si fort engraissée, que la reine ne put s'empêcher de pleurer en la regardant. Vermeille avait épousé un jeune paysan, qui n'avait pas de fortune, mais il se souvenait toujours que sa femme lui avait donné tout ce qu'il avait, et il cherchait par ses manières complaisantes à lui en marquer sa reconnaissance. Vermeille n'avait pas beaucoup de domestiques, mais ils l'aimaient, comme s'ils eussent été ses enfants, parce qu'elle les traitait bien. Tous ses voisins l'aimaient aussi, et chacun s'empressait à lui en donner des preuves. Elle n'avait pas beaucoup d'argent, mais elle n'en avait pas besoin ; car elle recueillait dans ses terres, du blé, du vin et de l'huile. Ses troupeaux lui fournissaient du lait, dont elle faisait du beurre et du fromage. Elle filait la laine de ses moutons pour se faire des habits, aussi bien qu'à son mari, et à deux enfants qu'elle avait. Ils se portaient à merveille, et le soir, quand le temps du travail était passé, ils se divertissaient à toutes sortes de jeux.

« Hélas ! s'écria la reine, la fée m'a fait un mauvais présent, en me donnant une couronne. On ne trouve point la joie dans les palais magnifiques, mais dans les occupations innocentes de la campagne. » À peine eut-elle dit ces paroles, que la fée parut.

« Je n'ai pas prétendu vous récompenser, en vous faisant reine, lui dit la fée, mais vous punir, parce que vous m'aviez donné vos prunes à contrecœur. Pour être heureux, il faut comme votre sœur, ne posséder que les choses nécessaires, et n'en point souhaiter davantage.

— Ah ! Madame, s'écria Blanche, vous vous êtes assez vengée ; finissez mon malheur.

— Il est fini, reprit la fée. Le roi, qui ne vous aime plus, vient d'épouser une autre femme ; et demain, ses officiers viendront vous ordonner de sa part, de ne point retourner à son palais. »

Cela arriva comme la fée l'avait prédit : Blanche passa le reste de ses jours avec sa sœur Vermeille, avec toutes sortes de contentements et de plaisirs ; et elle ne pensa jamais à la cour, que pour remercier la fée de l'avoir ramenée dans son village.

Le Prince Charmant

Il y avait une fois un prince, qui perdit son père, quand il n'avait que seize ans. D'abord il fut un peu triste ; et puis, le plaisir d'être roi le consola bientôt. Ce prince, qui se nommait Charmant, n'avait pas un mauvais cœur ; mais il avait été élevé en prince, c'est-à-dire à faire sa volonté ; et cette mauvaise habitude l'aurait sans doute rendu méchant par la suite. Il commençait déjà à se fâcher, quand on lui faisait voir qu'il s'était trompé. Il négligeait ses affaires pour se divertir, et surtout, il aimait si passionnément la chasse, qu'il y passait presque toutes les journées. On l'avait gâté, comme on fait tous les princes. Il avait pourtant un bon gouverneur, et il l'aimait beaucoup, quand il était jeune ; mais, lorsqu'il fut devenu roi, il pensa que ce gouverneur était trop vertueux.

« Je n'oserai jamais suivre mes fantaisies devant lui, disait-il en lui-même ; il dit qu'un prince doit donner tout son temps aux affaires de son royaume, et j'aime mes plaisirs. Quand même il ne me dirait rien, il serait triste, et je connaîtrais à son visage, qu'il serait mécontent de moi : il faut l'éloigner, car il me gênerait. »

Le lendemain, Charmant assembla son conseil, donna de grandes louanges à son gouverneur, et dit que pour le récompenser du soin qu'il avait eu de lui, il lui donnait le gouvernement d'une province, qui était fort éloignée de la cour. Quand son gouverneur fut parti, il se livra aux plaisirs, et surtout à la chasse, qu'il aimait passionnément. Un jour que Charmant était dans une grande forêt, il vit passer une biche, blanche comme la neige ; elle avait un collier d'or au cou, et lorsqu'elle fut proche du prince, elle le regarda fixement, et ensuite s'éloigna.

« Je ne veux pas qu'on la tue », s'écria Charmant. il commanda donc à ses gens, de rester là avec ses chiens, et il suivit la biche. Il semblait qu'elle l'attendait : mais lorsqu'il était proche d'elle, elle s'éloignait en sautant et gambadant. Il avait tant d'envie de la prendre, qu'en la suivant il fit beaucoup de chemin, sans y penser. La nuit vint, et il perdit la biche de vue. Le voilà bien embarrassé; car il ne savait pas où il était. Tout d'un coup, il entendit des instruments; mais ils paraissaient être bien loin. Il suivit ce bruit agréable, et arriva enfin à un grand château, où l'on faisait ce beau concert. Le portier lui demanda ce qu'il voulait, et le prince lui conta son aventure.

«Soyez le bienvenu, lui dit cet homme. On vous attend pour souper; car la biche blanche appartient à ma maîtresse; et toutes les fois qu'elle la fait sortir, c'est pour lui amener compagnie.»

En même temps, le portier siffla, et plusieurs domestiques parurent avec des flambeaux, et conduisirent le prince dans un appartement bien éclairé. Les meubles de cet appartement n'étaient point magnifiques; mais tout était propre et si bien arrangé que cela faisait plaisir à voir. Aussitôt, il vit paraître la maîtresse de la maison. Charmant fut ébloui de sa beauté, et s'étant jeté à ses pieds, il ne pouvait parler, tant il était occupé à la regarder.

«Levez-vous, mon prince, lui dit-elle, en lui donnant la main. Je suis charmée de l'admiration que je vous cause: vous paraissez si aimable, que je souhaite de tout mon cœur, que vous soyez celui qui doit me tirer de ma solitude. Je m'appelle Vraie-gloire, et je suis immortelle. Je vis dans ce château, depuis le commencement du monde, en attendant un mari; un grand nombre de rois sont venus me voir; mais, quoiqu'ils m'eussent juré une fidélité éternelle, ils ont manqué à leur parole, et m'ont abandonnée pour la plus cruelle de mes ennemies.

— Ah! belle princesse, dit Charmant, peut-on vous oublier, quand on vous a vue une fois? Je jure de n'aimer que vous: et dès ce moment je vous choisis pour ma reine.

— Et moi, je vous accepte pour mon roi, lui dit Vraie-gloire; mais il ne m'est pas permis de vous épouser encore. Je vais vous faire voir un autre prince, qui est dans mon palais, et qui prétend aussi m'épouser: si j'étais la maîtresse, je vous donnerais la préférence; mais cela ne dépend pas de moi. Il faut que vous me quittiez pendant trois ans, et celui des deux qui me sera le plus fidèle pendant ce temps, aura la préférence.»

Charmant fut fort affligé de ces paroles; mais il le fut bien davantage, quand il vit le prince dont Vraie-gloire lui avait parlé. Il était si beau, il avait tant d'esprit, qu'il craignit que Vraie-gloire ne l'aimât plus que lui. Il se nommait Absolu, et il possédait un grand royaume. Ils soupèrent tous les deux avec Vraie-gloire, et furent bien tristes, quand il fallut la quitter le matin. Elle leur dit qu'elle les attendait dans trois ans, et ils sortirent ensemble du palais. À peine avaient-ils marché deux cents pas dans la forêt, qu'ils virent un palais bien plus magnifique que celui de Vraie-gloire ; l'or, l'argent, le marbre, les diamants éblouissaient les yeux ; les jardins en étaient magnifiques, et la curiosité les engagea à y entrer. Ils furent bien surpris d'y trouver leur princesse ; mais elle avait changé d'habit ; sa robe était toute garnie de diamants, ses cheveux en étaient ornés, au lieu que la veille, sa parure n'était qu'une robe blanche, garnie de fleurs.

« Je vous montrai hier ma maison de campagne, leur dit-elle, elle me plaisait autrefois ; mais puisque j'ai deux princes pour amants, je ne la trouve plus digne de moi. Je l'ai abandonnée pour toujours, et je vous attendrai dans ce palais, car les princes doivent aimer la magnificence. L'or et les pierreries ne sont faits que pour eux, et quand leurs sujets les voient si magnifiques, ils les respectent davantage. »

En même temps, elle fit passer ses deux amants dans une grande salle.

« Je vais vous montrer, leur dit-elle, les portraits de plusieurs princes qui ont été mes favoris. En voilà un qu'on nommait Alexandre, que j'aurais épousé, mais il est mort trop jeune. Ce prince, avec un fort petit nombre de soldats, ravagea toute l'Asie, et s'en rendit maître. Il m'aimait à la folie, et risqua plusieurs fois sa vie pour me plaire. Voyez cet autre ; on le nommait Pyrrhus. Le désir de devenir mon époux l'a engagé à quitter son royaume pour en acquérir d'autres ; il courut toute sa vie, et fut tué malheureusement d'une tuile, qu'une femme lui jeta sur la tête. Cet autre se nommait Jules César : pour mériter mon cœur, il a fait pendant dix ans la guerre dans les Gaules ; il a vaincu Pompée, et soumis les Romains. Il eût été mon époux ; mais, ayant contre mon conseil pardonné à ses ennemis, ils lui donnèrent vingt-deux coups de poignard. »

La princesse leur montra encore un grand nombre de portraits, et, leur ayant donné un superbe déjeuner, qui fut servi dans des plats d'or, elle leur dit de continuer leur voyage. Quand ils furent sortis du palais, Absolu dit à Charmant :

«Avouez que la princesse était mille fois plus aimable aujourd'hui, avec ses beaux habits, qu'elle n'était hier, et qu'elle avait aussi beaucoup plus d'esprit.

— Je ne sais, répondit Charmant. Elle avait du fard aujourd'hui, elle m'a paru changée, à cause de ses beaux habits; mais assurément elle me plaisait davantage sous son habit de bergère.»

Les deux princes se séparèrent, et s'en retournèrent dans leurs royaumes, bien résolus de faire tout ce qu'ils pourraient, pour plaire à leur maîtresse. Quand Charmant fut dans son palais, il se ressouvint qu'étant petit, son gouverneur lui avait souvent parlé de Vraie-gloire, et il dit en lui-même, puisqu'il connaît ma princesse, je veux le faire revenir à ma cour; il m'apprendra ce que je dois faire pour lui plaire. Il envoya donc un courrier pour le chercher, et aussitôt que son gouverneur, qu'on nommait Sincère, fut arrivé, il le fit venir dans son cabinet, et lui raconta ce qui lui était arrivé. Le bon Sincère, pleurant de joie, dit au roi:

«Ah! mon prince, que je suis content d'être revenu! Sans moi vous auriez perdu votre princesse. Il faut que je vous apprenne qu'elle a une sœur, qu'on nomme Fausse-gloire; cette méchante créature n'est pas si belle que Vraie-gloire, mais elle se farde pour cacher ses défauts. Elle attend tous les princes qui sortent de chez Vraie-gloire; et comme elle ressemble à sa sœur, elle les trompe. Ils croient travailler pour Vraie-gloire, et ils la perdent en suivant les conseils de sa sœur. Vous avez vu que tous les amants de Fausse-gloire périssent misérablement. Le prince Absolu, qui va suivre leur exemple, ne vivra que jusqu'à trente ans; mais si vous vous conduisez par mes conseils, je vous promets qu'à la fin, vous serez l'époux de votre princesse. Elle doit être mariée au plus grand roi du monde: travaillez pour le devenir.

— Mon cher Sincère, répondit Charmant, tu sais que ce n'est pas possible. Quelque grand que soit mon royaume, mes sujets sont si ignorants, si grossiers, que je ne pourrai jamais les engager à faire la guerre. Or, pour devenir le plus grand roi du monde, ne faut-il pas gagner un grand nombre de batailles, et prendre beaucoup de villes?

— Ah! mon prince, répartit Sincère; vous avez déjà oublié les leçons que je vous ai données. Quand vous n'auriez pour tout bien qu'une seule ville, et deux ou trois cents sujets, et que vous ne feriez jamais la guerre, vous pourriez devenir le plus grand roi du monde : il ne faut pour cela, qu'être le plus juste et le plus vertueux. C'est là le moyen d'acquérir la princesse Vraie-gloire. Ceux qui prennent les royaumes de leurs voisins, qui, pour bâtir leurs beaux châteaux, acheter de beaux habits et beaucoup de diamants, prennent l'argent de leurs peuples, sont trompés, et ne trouveront que la princesse Fausse-gloire, qui alors n'aura plus son fard, et leur paraîtra aussi laide qu'elle l'est véritablement. Vous dites que vos sujets sont grossiers et ignorants ; il faut les instruire. Faites la guerre à l'ignorance, au crime ; combattez vos passions, et vous serez un grand roi, et un conquérant au-dessus de César, de Pyrrhus, d'Alexandre et de tous les héros, dont Fausse-gloire vous a montré les portraits. »

Charmant résolut de suivre les conseils de son gouverneur. Pour cela, il pria un de ses parents, de commander dans son royaume pendant son absence, et partit avec son gouverneur, pour voyager dans tout le monde, et s'instruire par lui-même de tout ce qu'il fallait faire pour rendre ses sujets heureux. Quand il trouvait dans un royaume un homme sage, ou habile, il lui disait, « voulez-vous venir avec moi, je vous donnerai beaucoup d'or ». Quand il fut bien instruit, et qu'il eut un grand nombre d'habiles gens, il retourna dans son royaume, et chargea tous ces habiles gens d'instruire ses sujets, qui étaient très pauvres et très ignorants. Il fit bâtir de grandes villes, et quantité de vaisseaux ; il faisait apprendre à travailler aux jeunes gens, nourrissait les pauvres malades et vieillards, rendait lui-même la justice à ses peuples ; en sorte qu'il les rendit honnêtes gens et heureux. Il passa deux ans dans ce travail, et au bout de ce temps, il dit à Sincère :

« Croyez-vous que je sois bientôt digne de Vraie-gloire ?

- Il vous reste encore un grand ouvrage à faire, lui dit son gouverneur. Vous avez vaincu les vices de vos sujets, votre paresse, votre amour pour les plaisirs, mais vous êtes encore l'esclave de votre colère c'est le dernier ennemi qu'il faut combattre. »

Charmant eut beaucoup de peine à se corriger de ce dernier défaut, mais il était si amoureux de sa princesse, qu'il fit les plus grands efforts pour devenir doux et patient. Il y réussit, et les trois ans étant passés, il se rendit dans la forêt, où il avait vu la biche blanche. Il n'avait pas mené avec lui un grand équipage ; le seul Sincère l'accompagnait. Il rencontra bientôt Absolu dans un char superbe. Il avait fait peindre sur ce char les batailles qu'il avait gagnées, les villes qu'il avait prises, et il faisait marcher devant lui plusieurs princes, qu'il avait fait prisonniers, et qui étaient enchaînés comme des esclaves. Lorsqu'il aperçut Charmant, il se moqua de lui, et de la conduite qu'il avait tenue. Dans le même moment ils virent les palais des deux sœurs, qui n'étaient pas fort éloignés l'un de l'autre. Charmant prit le chemin du premier, et Absolu en fut charmé, parce que celle qu'il prenait pour la princesse, lui avait dit qu'elle n'y retournerait jamais. Mais à peine eut-il quitté Charmant, que la princesse Vraie-gloire, mille fois plus belle, mais toujours aussi simplement vêtue que la première fois qu'il l'avait vue, vint au-devant de lui.

«Venez, mon prince, lui dit-elle, vous êtes digne d'être mon époux; mais vous n'auriez jamais eu ce bonheur, sans votre ami Sincère, qui vous a appris à me distinguer de ma sœur.»

Dans le même temps Vraie-gloire commanda aux vertus, qui sont ses sujettes, de faire une fête pour célébrer son mariage avec Charmant; et pendant qu'il s'occupait du bonheur qu'il allait avoir, d'être l'époux de cette princesse, Absolu arriva chez Fausse-gloire, qui le reçut parfaitement bien, et lui offrit de l'épouser sur-le-champ. Il y consentit; mais à peine fut-elle sa femme, qu'il s'aperçut, en la regardant de près, qu'elle était vieille et ridée, quoiqu'elle n'eût pas oublié de mettre beaucoup de blanc et de rouge, pour cacher ses rides. Pendant qu'elle lui parlait, un fil d'or, qui attachait ses fausses dents, se rompit, et ses dents tombèrent à terre. Le prince Absolu était si fort en colère d'avoir été trompé, qu'il se jeta sur elle pour la battre; mais comme il l'avait prise par de beaux cheveux noirs, qui étaient fort longs, il fut tout étonné qu'ils lui restassent dans la main; car Fausse-gloire portait une perruque; et comme elle resta nue tête, il vit qu'elle n'avait qu'une douzaine de cheveux, et encore ils étaient tout blancs. Absolu laissa là cette méchante et laide créature, et courut au palais de Vraie-gloire, qui venait d'épouser Charmant; et la douleur qu'il eut, d'avoir perdu cette princesse, fut si grande, qu'il en mourut. Charmant plaignit son malheur et vécut longtemps avec Vraie-gloire. Il en eut plusieurs filles, mais une seule ressemblait parfaitement à sa mère. Il la mit dans le château champêtre, en attendant qu'elle pût trouver un époux; et pour empêcher la méchante tante

de lui débaucher ses amants, il écrivit sa propre histoire, afin
d'apprendre aux princes, qui voudraient épouser sa fille, que
le seul moyen de posséder Vraie-gloire était de travailler à se
rendre vertueux et utile à leurs sujets ; et que pour réussir dans
ce dessein, ils avaient besoin d'un ami sincère.

Le Prince Chéri

Il y avait une fois un roi, qui était si honnête homme, que ses sujets l'appelaient le Roi bon. Un jour qu'il était à la chasse, un petit lapin blanc, que les chiens allaient tuer, se jeta dans ses bras. Le roi caressa ce petit lapin, et dit :

« Puisqu'il s'est mis sous ma protection, je ne veux pas qu'on lui fasse du mal. »

Il porta ce petit lapin dans son palais, et il lui fit donner une jolie petite maison, et de bonnes herbes à manger. La nuit, quand il fut seul dans sa chambre, il vit paraître une belle dame : elle n'avait point d'habits d'or, et d'argent ; mais sa robe était blanche comme la neige ; et au lieu de coiffure, elle avait une couronne de roses blanches sur sa tête. Le bon roi fut bien étonné de voir cette dame ; car sa porte était fermée, et il ne savait pas comment elle était entrée. Elle lui dit :

« Je suis la fée Candide ; je passais dans le bois pendant que vous chassiez ; et j'ai voulu savoir si vous étiez bon, comme tout le monde le dit. Pour cela, j'ai pris la figure d'un petit lapin, et je me suis sauvée dans vos bras ; car je sais que ceux qui ont de la pitié pour les bêtes, en ont encore plus pour les hommes ; et si vous m'aviez refusé votre secours, j'aurais cru que vous étiez méchant. Je viens vous remercier du bien que vous m'avez fait ; et vous assurer que je serai toujours de vos amies. Vous n'avez qu'à me demander tout ce que vous voudrez, je vous promets de vous l'accorder.

— Madame, dit le bon roi, puisque vous êtes une fée, vous devez savoir tout ce que je souhaite. Je n'ai qu'un fils, que j'aime beaucoup, et pour cela, on l'a nommé le prince Chéri : si vous avez quelque bonté pour moi, devenez la bonne amie de mon fils.

— De bon cœur, lui dit la fée ; je puis rendre votre fils le plus beau prince du monde, ou le plus riche, ou le plus puissant ; choisissez ce que vous voudrez pour lui.

— Je ne désire rien de tout cela pour mon fils, répondit le bon roi ; mais je vous serai bien obligé, si vous voulez le rendre le meilleur de tous les princes. Que lui servirait-il d'être beau, riche, d'avoir tous les royaumes du monde, s'il était méchant? Vous savez bien qu'il serait malheureux, et qu'il n'y a que la vertu qui puisse le rendre content.

— Vous avez raison, lui dit Candide; mais il n'est pas en mon pouvoir de rendre le prince Chéri honnête homme malgré lui: il faut qu'il travaille lui-même à devenir vertueux. Tout ce que je puis vous promettre, c'est de lui donner de bons conseils, de le reprendre de ses fautes, et de le punir, s'il ne veut pas se corriger et se punir lui-même.»

Le bon roi fut fort content de cette promesse, et il mourut peu de temps après. Le prince Chéri pleura beaucoup son père, car il l'aimait de tout son cœur, et il aurait donné tous ses royaumes, son or, et son argent pour le sauver: mais cela n'était pas possible. Deux jours après la mort du bon roi, Chéri étant couché, Candide lui apparut.

«J'ai promis à votre père, lui dit-elle, d'être de vos amies, et pour tenir ma parole, je viens vous faire un présent».

En même temps elle mit au doigt de Chéri une petite bague d'or, et lui dit:

«Gardez bien cette bague, elle est plus précieuse que les diamants; toutes les fois que vous ferez une mauvaise action, elle vous piquera le doigt mais si, malgré sa piqûre, vous continuez cette mauvaise action, vous perdrez mon amitié, et je deviendrai votre ennemie.»

En finissant ces paroles, Candide disparut, et laissa Chéri fort étonné. Il fut quelque temps si sage, que la bague ne le piquait point du tout; et cela le rendait si content, qu'on ajouta au nom de Chéri qu'il portait, celui d'Heureux. Quelque temps après, il fut à la chasse, et il ne prit rien, ce qui le mit de mauvaise humeur: il lui sembla alors que sa bague lui pressait un peu le doigt; mais comme elle ne le piquait pas, il n'y fit pas beaucoup attention. En rentrant dans sa chambre, sa petite chienne Bibi vint à lui en sautant pour le caresser, il lui dit:

«Retire-toi; je ne suis plus d'humeur de recevoir tes caresses.»

La pauvre petite chienne, qui ne l'entendait pas, le tirait par son habit pour l'obliger à la regarder au moins. Cela impatienta Chéri, qui lui donna un grand coup de pied. Dans le moment la bague le piqua, comme si c'eût été une épingle: il fut bien étonné, et s'assit tout honteux dans un coin de sa chambre. Il disait en lui-même, je crois que la fée se moque de moi; quel grand mal ai-je fait pour donner un coup de pied à un animal qui m'importune? À quoi me sert d'être maître d'un grand empire, puisque je n'ai pas la liberté de battre mon chien?

« Je ne me moque pas de vous, dit une voix, qui répondait à la pensée de Chéri, vous avez fait trois fautes, au lieu d'une. Vous avez été de mauvaise humeur, parce que vous n'aimez pas à être contredit, et que vous croyez que les bêtes et les hommes sont faits pour obéir. Vous vous êtes mis en colère, ce qui est fort mal: et puis, vous avez été cruel à un pauvre animal qui ne méritait pas d'être maltraité. Je sais que vous êtes beaucoup au-dessus d'un chien; mais si c'était une chose raisonnable et permise, que les grands pussent maltraiter tout ce qui est au-dessous d'eux, je pourrais à ce moment vous battre, vous tuer, puisqu'une fée est plus qu'un homme. L'avantage d'être maître d'un grand empire, ne consiste pas à pouvoir faire le mal qu'on veut, mais tout le bien qu'on peut. »

Chéri avoua sa faute, et promit de se corriger mais il ne tint pas sa parole. Il avait été élevé par une sotte nourrice qui l'avait gâté quand il était petit. S'il voulait avoir une chose, il n'avait qu'à pleurer, se dépiter, frapper du pied; cette femme lui donnait tout ce qu'il demandait, et cela l'avait rendu opiniâtre. Elle lui disait aussi, depuis le matin jusqu'au soir, qu'il serait roi un jour, et que les rois étaient fort heureux, parce que tous les hommes devaient leur obéir, les respecter, et qu'on ne pouvait pas les empêcher de faire ce qu'ils voulaient. Quand Chéri avait été grand garçon, et raisonnable, il avait bien connu, qu'il n'y avait rien de si vilain que d'être fier, orgueilleux, opiniâtre. Il avait fait quelques efforts pour se corriger; mais il avait pris la mauvaise habitude de tous ces défauts; et une mauvaise habitude est bien difficile à détruire. Ce n'est pas qu'il eût naturellement le cœur méchant. Il pleurait de dépit quand il avait fait une faute, et il disait, «je suis bien malheureux d'avoir à combattre tous les jours contre ma colère et mon orgueil: si on m'avait corrigé quand j'étais jeune, je n'aurais pas tant de peine aujourd'hui». Sa bague le piquait bien souvent, quelquefois il s'arrêtait tout court; d'autres fois, il continuait, et ce qu'il y avait de singulier, c'est qu'elle ne le piquait qu'un peu pour une légère faute; mais quand il était méchant, le sang sortait de son doigt. À la fin cela l'impatienta, et voulant être mauvais tout à son aise, il jeta sa bague. Il se crut le plus heureux de tous les hommes, quand il se fut débarrassé de ses piqûres. Il s'abandonna à toutes les sottises qui lui venaient à l'esprit, en sorte qu'il devint très méchant, et que personne ne pouvait plus le souffrir.

Un jour que Chéri était à la promenade, il vit une fille qui était si belle, qu'il résolut de l'épouser. Elle se nommait Zélie, et elle était aussi sage que belle. Chéri crut que Zélie se croirait fort heureuse de devenir une grande reine ; mais, cette fille lui dit avec beaucoup de liberté :

« Sire, je ne suis qu'une bergère, je n'ai point de fortune ; mais, malgré cela, je ne vous épouserai jamais.

— Est-ce que je vous déplais ? lui demanda Chéri, un peu ému.

— Non, mon prince, lui répondit Zélie. Je vous trouve tel que vous êtes, c'est-à-dire, fort beau, mais que me serviraient votre beauté, vos richesses, les beaux habits, les carrosses magnifiques que vous me donneriez, si les mauvaises actions, que je vous verrais chaque jour, me forçaient à vous mépriser et à vous haïr. »

Chéri se mit fort en colère contre Zélie, et commanda à ses officiers de la conduire de force dans son palais. Il fut occupé toute la journée du mépris que cette fille lui avait montré ; mais comme il l'aimait, il ne pouvait se résoudre à la maltraiter. Parmi les favoris de Chéri, il y avait son frère de lait, auquel il avait donné toute sa confiance : cet homme, qui avait les inclinations aussi basses que sa naissance, flattait les passions de son maître, et lui donnait de fort mauvais conseils. Comme il vit Chéri fort triste, il lui demanda le sujet de son chagrin : le prince lui ayant répondu qu'il ne pouvait souffrir le mépris de Zélie, et qu'il était résolu de se corriger de ses défauts, puisqu'il fallait être vertueux pour lui plaire, ce méchant homme lui dit :

« Vous êtes bien bon, de vouloir vous gêner pour une petite fille, si j'étais à votre place, ajouta-t-il, je la forcerais bien à m'obéir. Souvenez-vous que vous êtes roi, et qu'il serait honteux de vous soumettre aux volontés d'une bergère, qui serait trop heureuse d'être reçue parmi vos esclaves. Faites-la jeûner au pain et à l'eau ; mettez-la dans une prison, et si elle continue à ne vouloir pas vous épouser, faites-la mourir dans les tourments, pour apprendre aux autres à céder à vos volontés. Vous serez déshonoré si l'on sait qu'une simple fille vous résiste ; et tous vos sujets oublieront qu'ils ne sont au monde que pour vous servir.

— Mais, dit Chéri, ne serai-je pas déshonoré, si je fais mourir une innocente ? Car, enfin, Zélie n'est coupable d'aucun crime.

— On n'est point innocent, quand on refuse d'exécuter vos volontés, reprit le confident : mais je suppose que vous commettiez une injustice, il vaut bien mieux qu'on vous en accuse, que d'apprendre qu'il est quelquefois permis de vous manquer de respect, et de vous contredire. »

Le courtisan prenait Chéri par son faible ; et la crainte de voir diminuer son autorité, fit tant d'impression sur le roi, qu'il étouffa le bon mouvement qui lui avait donné envie de se corriger. Il résolut d'aller le soir même dans la chambre de la bergère, et de la maltraiter, si elle continuait à refuser de l'épouser. Le frère de lait de Chéri, qui craignait encore quelque bon mouvement, rassembla trois jeunes seigneurs, aussi méchants que lui, pour faire la débauche avec le roi, ils soupèrent ensemble, et ils eurent soin d'achever de troubler la raison de ce pauvre prince, en le faisant boire beaucoup. Pendant le souper ils excitèrent sa colère contre Zélie, et lui firent tant de honte de la faiblesse qu'il avait eue pour elle, qu'il se leva comme un furieux, en jurant qu'il allait la faire obéir, ou qu'il la ferait vendre le lendemain comme une esclave.

Chéri étant entré dans la chambre où était cette fille, fut bien surpris de ne la pas trouver ; car il avait la clef dans sa poche. Il était dans une colère épouvantable, et jurait de se venger sur tous ceux qu'il soupçonnerait d'avoir aidé Zélie à s'échapper. Ses confidents, l'entendant parler ainsi, résolurent de profiter de sa colère, pour perdre un seigneur, qui avait été gouverneur de Chéri. Cet honnête homme avait pris quelquefois la liberté d'avertir le roi de ses défauts, car il l'aimait, comme si c'eût été son fils. D'abord Chéri le remerciait ; ensuite il s'impatienta d'être contredit, et puis il pensa que c'était par esprit de contradiction que son gouverneur lui trouvait des défauts, pendant que tout le monde lui donnait des louanges. Il lui commanda donc de se retirer de la cour ; mais, malgré cet ordre, il disait de temps en temps que c'était un honnête homme, qu'il ne l'aimait plus, mais qu'il l'estimait, malgré lui-même. Les confidents craignaient toujours, qu'il ne prît fantaisie au roi de rappeler son gouverneur, et ils crurent avoir trouvé une occasion favorable pour se débarrasser de lui. Ils firent entendre au roi, que Suliman (c'était le nom de ce digne homme) s'était vanté de rendre la liberté à Zélie : trois hommes corrompus par des présents dirent qu'ils avaient ouï tenir ce discours à Suliman ; et le prince, transporté de colère, commanda à son frère de lait, d'envoyer des soldats pour lui amener son gouverneur, enchaîné comme un criminel. Après avoir donné ces ordres, Chéri se retira dans sa chambre : mais, à peine fut-il entré, que la terre trembla ; il fit un grand coup de tonnerre, et Candide parut à ses yeux.

« J'avais promis à votre père, lui dit-elle, d'un ton sévère, de vous donner des conseils, et de vous punir, si vous refusiez de les suivre ; vous les avez méprisés, ces conseils : vous n'avez conservé que la figure d'homme, et vos crimes vous ont changé en un monstre, l'horreur du ciel, et de la Terre. Il est temps que j'achève de satisfaire ma promesse, en vous punissant. Je vous condamne à devenir semblable aux bêtes, dont vous avez pris les inclinations. Vous vous êtes rendu semblable au lion, par la colère ; au loup, par la gourmandise ; au serpent, en déchirant celui qui avait été votre second père ; au taureau, par votre brutalité. Portez dans votre nouvelle figure, le caractère de tous ces animaux. »

À peine la fée avait-elle achevé ces paroles, que Chéri se vit avec horreur tel qu'elle l'avait souhaité. Il avait la tête d'un lion, les cornes d'un taureau, les pieds d'un loup, et la queue d'une vipère. En même temps, il se trouva dans une grande forêt, sur le bord d'une fontaine, où il vit son horrible figure, et il entendit une voix qui lui dit :

« Regarde attentivement l'état où tu t'es réduit par tes crimes. Ton âme est devenue mille fois plus affreuse que ton corps. »

Chéri reconnut la voix de Candide, et dans sa fureur, il se retourna, pour s'élancer sur elle, et la dévorer, s'il eût été possible ; mais il ne vit personne, et la même voix lui dit :

« Je me moque de ta faiblesse et de ta rage. Je vais confondre ton orgueil, en te mettant sous la puissance de tes propres sujets. »

Chéri crut qu'en s'éloignant de cette fontaine, il trouverait du remède à ses maux, puisqu'il n'aurait point devant ses yeux sa laideur et sa difformité ; il s'avançait donc dans le bois ; mais à peine y eut-il fait quelques pas, qu'il tomba dans un trou, qu'on avait fait pour prendre les ours : en même temps, des chasseurs qui étaient cachés sur des arbres, descendirent, et l'ayant enchaîné, le conduisirent dans la ville capitale de son royaume. Pendant le chemin, au lieu de reconnaître qu'il s'était attiré ce châtiment par sa faute, il maudissait la fée, il mordait ses chaînes, et s'abandonnait à la rage. Lorsqu'il approcha de la ville, où on le conduisait, il vit de grandes réjouissances ; et les chasseurs ayant demandé ce qui était arrivé de nouveau, on leur dit que le prince Chéri, qui ne se plaisait qu'à tourmenter son peuple, avait été écrasé dans sa chambre par un coup de tonnerre ; car on le croyait ainsi. « Les dieux, ajouta-t-on, n'ont pu supporter l'excès de ses méchancetés, ils en ont délivré la terre. Quatre seigneurs, complices de ses crimes, croyaient en profiter et partager son empire entre eux : mais, le peuple, qui savait que c'étaient leurs mauvais conseils qui avaient gâté le roi, les a mis en pièces, et a été offrir la couronne à Suliman, que le méchant Chéri voulait faire mourir. Ce digne Seigneur vient d'être couronné, et nous célébrons ce jour comme celui de la délivrance du royaume ; car il est vertueux, et va ramener parmi nous la paix et l'abondance. » Chéri soupirait de rage en écoutant ce discours ; mais ce fut bien pis, lorsqu'il arriva dans la grande place, qui était devant son palais. Il vit Suliman sur un trône superbe, et tout le peuple qui lui souhaitait une longue vie, pour réparer tous les maux qu'avait faits son prédécesseur. Suliman fit signe de la main pour demander silence, et il dit au peuple :

« J'ai accepté la couronne que vous m'avez offerte, mais c'est pour la conserver au prince Chéri : il n'est point mort, comme vous le croyez, une fée me l'a révélé, et peut-être qu'un jour vous le reverrez vertueux, comme il était dans ses premières années. Hélas ! continua-t-il, en versant des larmes, les flatteurs l'avaient séduit. Je connaissais son cœur, il était fait pour la vertu ; et sans les discours empoisonnés de ceux qui l'approchaient, il eût été votre père à tous. Détestez ses vices ; mais plaignez-le, et prions tous ensemble les dieux qu'ils nous le rendent : pour moi, je m'estimerais trop heureux d'arroser ce trône de mon sang, si je pouvais l'y voir remonter avec des dispositions propres à le lui faire remplir dignement. »

Les paroles de Suliman allèrent jusqu'au cœur de Chéri. Il connut alors, combien l'attachement et la fidélité de cet homme avaient été sincères, et se reprocha ses crimes pour la première fois. À peine eut-il écouté ce bon mouvement, qu'il sentit calmer la rage dont il était animé : il réfléchit sur tous les crimes de sa vie, et trouva qu'il n'était pas puni aussi rigoureusement qu'il l'avait mérité. Il cessa donc de se débattre dans la cage de fer, où il était enchaîné, et devint doux comme un mouton. On le conduisit dans une grande maison, où l'on gardait tous les monstres et les bêtes féroces, et on l'attacha avec les autres.

Chéri, alors, prit la résolution de commencer à réparer ses fautes, en se montrant bien obéissant à l'homme qui le gardait. Cet homme était un brutal, et quoique le monstre fût fort doux, quand il était de mauvaise humeur, il le battait sans rime, ni raison. Un jour que cet homme s'était endormi, un tigre, qui avait rompu sa chaîne, se jeta sur lui pour le dévorer : d'abord Chéri sentit un mouvement de joie, de voir qu'il allait être délivré de son persécuteur ; mais aussitôt il condamna ce mouvement, et souhaita d'être libre.

« Je rendrais, dit-il, le bien pour le mal, en sauvant la vie de ce malheureux. »

À peine eut-il formé ce souhait, qu'il vit sa cage de fer ouverte : il s'élança aux côtés de cet homme, qui s'était réveillé, et qui se défendait contre le tigre. Le gardien se crut perdu, lorsqu'il vit le monstre, mais sa crainte fut bientôt changée en joie : ce monstre bienfaisant se jeta sur le tigre, l'étrangla, et se coucha ensuite aux pieds de celui qu'il venait de sauver. Cet homme, pénétré de reconnaissance, voulut se baisser pour caresser le monstre, qui lui avait rendu un si grand service mais il entendit une voix qui disait, une bonne action ne demeure point sans récompense, et en même temps il ne vit plus qu'un joli chien à ses pieds. Chéri, charmé de sa métamorphose, fit mille caresses à son gardien, qui le prit entre ses bras, et le porta au roi, auquel il raconta cette merveille. La reine voulut avoir le chien, et Chéri se fût trouvé heureux dans sa nouvelle condition, s'il eût pu oublier qu'il était homme et roi. La reine l'accablait de caresses ; mais dans la peur qu'elle avait, qu'il ne devînt plus grand qu'il n'était, elle consulta ses médecins, qui lui dirent qu'il ne fallait le nourrir que de pain, et ne lui en donner qu'une certaine quantité. Le pauvre Chéri mourait de faim la moitié de la journée ; mais il fallait prendre patience.

Un jour, qu'on venait de lui donner son petit pain pour déjeuner, il lui prit fantaisie d'aller le manger dans le jardin du palais ; il le prit dans sa gueule et marcha vers un canal qu'il connaissait, et qui était un peu éloigné ; mais il ne trouva plus ce canal, et vit à la place une grande maison, dont les dehors brillaient d'or et de pierreries. Il y voyait entrer une grande quantité d'hommes et de femmes, magnifiquement habillés ; on chantait, on dansait dans cette maison, on y faisait bonne chère, mais tous ceux qui en sortaient, étaient pâles, maigres, couverts de plaies, et presque tous nus ; car leurs habits étaient déchirés par lambeaux. Quelques-uns tombaient morts en sortant, sans avoir la force de se traîner plus loin ; d'autres s'éloignaient avec beaucoup de peine ; d'autres restaient couchés contre terre, mourant de faim ; ils demandaient un morceau de pain à ceux qui entraient dans cette maison ; mais ils ne les regardaient pas seulement. Chéri s'approcha d'une jeune fille, qui tâchait d'arracher des herbes pour les manger : touché de compassion, le prince dit en lui-même, j'ai bon appétit, mais je ne mourrai pas de faim jusqu'au temps de mon dîner ; si je sacrifiais mon déjeuner à cette pauvre créature, peut-être lui sauverais-je la vie. Il résolut de suivre ce bon mouvement, et mit son pain dans la main de cette fille, qui le porta à sa bouche avec avidité. Elle parut bientôt entièrement remise, et Chéri, ravi de joie de l'avoir secourue si à propos, pensait à retourner au palais, lorsqu'il entendit de grands cris ; c'était Zélie entre les mains de quatre hommes, qui l'entraînaient vers cette belle maison, où ils la forcèrent d'entrer. Chéri regretta alors sa figure de monstre, qui lui aurait donné les moyens de secourir Zélie ; mais, faible chien, il ne put qu'aboyer contre ses ravisseurs, et s'efforça de les suivre. On le chassa à coups de pied, et il résolut de ne point quitter ce lieu, pour savoir ce que deviendrait Zélie. Il se reprochait les malheurs de cette belle fille. Hélas ! disait-il en lui-même, je suis irrité contre ceux qui l'enlèvent ; n'ai-je pas commis le même crime ? Et si la justice des dieux n'avait prévenu mon attentat, ne l'aurais-je pas traitée avec autant d'indignité ?

Les réflexions de Chéri furent interrompues par un bruit qui se faisait au-dessus de sa tête. Il vit qu'on ouvrait une fenêtre, et sa joie fut extrême, lorsqu'il aperçut Zélie, qui jetait par cette fenêtre un plat plein de viandes si bien apprêtées, qu'elles donnaient appétit à voir. On referma la fenêtre aussitôt, et Chéri, qui n'avait pas mangé de toute la journée, crut qu'il devait profiter de l'occasion. Il allait donc manger de ces viandes, lorsque la jeune fille, à laquelle il avait donné son pain, jeta un cri, et l'ayant pris dans ses bras :

« Pauvre petit animal, lui dit-elle, ne touche point à ces viandes, cette maison est le palais de la volupté, tout ce qui en sort est empoisonné. »

En même temps, Chéri entendit une voix qui disait, « tu vois qu'une bonne action ne demeure point sans récompense »; et aussitôt il fut changé en un beau petit pigeon blanc. Il se souvint que cette couleur était celle de Candide, et commença à espérer qu'elle pourrait enfin lui rendre ses bonnes grâces. Il voulut d'abord s'approcher de Zélie, et s'étant élevé en l'air, il vola tout autour de la maison, et vit avec joie qu'il y avait une fenêtre ouverte : mais il eut beau parcourir toute la maison, il n'y trouva point Zélie, et désespéré de sa perte, il résolut de ne point s'arrêter, qu'il ne l'eût rencontrée. Il vola pendant plusieurs jours, et étant entré dans un désert, il vit une caverne, de laquelle il s'approcha, quelle fut sa joie ! Zélie y était assise à côté d'un vénérable ermite, et prenait avec lui un frugal repas. Chéri, transporté, vola sur l'épaule de cette charmante bergère, et exprimait, par ses caresses, le plaisir qu'il avait de la voir. Zélie, charmée de la douceur de ce petit animal, le flattait doucement avec la main : et quoiqu'elle crût qu'il ne pouvait l'entendre, elle lui dit qu'elle acceptait le don qu'il lui faisait de lui-même, et qu'elle l'aimerait toujours.

« Qu'avez-vous fait, Zélie ? lui dit l'ermite, vous venez d'engager votre foi.

— Oui, charmante bergère, lui dit Chéri, qui reprit à ce moment sa forme naturelle, la fin de ma métamorphose était attachée au consentement que vous donneriez à notre union. Vous m'avez promis de m'aimer toujours, confirmez mon bonheur, ou je vais conjurer la fée Candide, ma protectrice, de me rendre la figure, sous laquelle j'ai eu le bonheur de vous plaire.

— Vous n'avez point à craindre son inconstance, lui dit Candide, qui, quittant la forme de l'ermite, sous laquelle elle s'était cachée, parut à leurs vœux telle qu'elle était en effet. Zélie vous aima aussitôt qu'elle vous vit ; mais vos vices la contraignirent à vous cacher le penchant que vous lui aviez inspiré. Le changement de votre cœur lui donne la liberté de se livrer à toute sa tendresse. Vous allez vivre heureux, puisque votre union sera fondée sur la vertu.»

Chéri et Zélie s'étaient jetés aux pieds de Candide. Le prince ne pouvait se lasser de la remercier de ses bontés, et Zélie, enchantée d'apprendre que le prince détestait les égarements, lui confirmait l'aveu de sa tendresse.

«Levez-vous, mes enfants, leur dit la fée, je vais vous transporter dans votre palais, pour rendre à Chéri une couronne, de laquelle ses vices l'avaient rendu indigne.»

À peine eut-elle cessé de parler, qu'ils se trouvèrent dans la chambre de Suliman, qui charmé de revoir son cher maître, devenu vertueux, lui abandonna le trône et resta le plus fidèle de ses sujets. Chéri régna longtemps avec Zélie, et on dit qu'il s'appliqua tellement à ses devoirs, que la bague qu'il avait reprise, ne le piqua pas une seule fois jusqu'au sang.

Le Prince Fatal et le Prince Fortuné

Il y avait une fois une reine, qui eut deux petits garçons, beaux comme le jour. Une fée, qui était bonne amie de la reine, avait été priée d'être la marraine de ces princes, et de leur faire quelque don :

«Je doue l'aîné, dit-elle, de toutes sortes de malheurs jusqu'à l'âge de vingt-cinq ans, et je le nomme Fatal.»

À ces paroles, la reine jeta de grands cris, et conjura la fée de changer ce don.

«Vous ne savez pas ce que vous demandez, dit-elle à la reine ; s'il n'est pas malheureux, il sera méchant.»

La reine n'osa plus rien dire ; mais elle pria la fée de lui laisser choisir un don pour son second fils.

«Peut-être choisirez-vous tout de travers, répondit la fée ; mais n'importe, je veux bien lui accorder ce que vous me demanderez pour lui.

— Je souhaite, dit la reine, qu'il réussisse toujours dans tout ce qu'il voudra faire ; c'est le moyen de le rendre parfait.

— Vous pourriez vous tromper, dit la fée ; ainsi, je ne lui accorde ce don, que jusqu'à vingt-cinq ans.»

On donna des nourrices aux deux petits princes, mais dès le troisième jour, la nourrice du prince aîné eut la fièvre ; on lui en donna une autre qui se cassa la jambe en tombant, une troisième perdit son lait, aussitôt que le prince Fatal commença à la téter ; et le bruit s'étant répandu que le prince portait malheur à ses nourrices, personne ne voulut plus le nourrir, ni s'approcher de lui. Ce pauvre enfant, qui avait faim, criait, et ne faisait pourtant pitié à personne. Une grosse paysanne, qui avait un grand nombre d'enfants, qu'elle avait beaucoup de peine à nourrir, dit qu'elle aurait soin de lui, si on voulait lui donner une grosse somme d'argent ; et comme le roi et la reine n'aimaient pas le prince Fatal, ils donnèrent à la nourrice ce qu'elle demandait, et lui dirent de le porter à son village. Le second prince, qu'on avait nommé Fortuné, venait au contraire à merveille. Son papa et sa maman l'aimaient à la folie, et ne pensaient pas seulement à l'aîné. La méchante femme, à qui on l'avait donné, ne fut pas plutôt chez elle, qu'elle lui ôta les beaux langes dont il était enveloppé, pour les donner à un de ses fils, qui était de l'âge de Fatal ; et, ayant enveloppé le pauvre prince dans une mauvaise jupe, elle le porta dans un bois, où il y avait bien des bêtes sauvages, et le mit dans un trou, avec trois petits lions, pour qu'il fût mangé. Mais la mère de ces lions ne lui fit point de mal, et au contraire, elle lui donna à téter, ce qui le rendit si fort, qu'il courait tout seul au bout de six mois. Cependant le fils de la nourrice, qu'elle faisait passer pour le prince, mourut, et le roi et la reine furent charmés d'en être débarrassés. Fatal resta dans le bois jusqu'à deux ans, et un seigneur de la cour, qui allait à la chasse, fut tout étonné de le trouver au milieu des bêtes. Il en eut pitié, l'emporta dans sa maison, et ayant appris qu'on cherchait un enfant, pour tenir compagnie à Fortuné, il présenta Fatal à la reine. On donna un maître à Fortuné pour lui apprendre à lire ; mais on recommanda au maître de ne le point faire pleurer. Le jeune prince qui avait entendu cela, pleurait toutes les fois qu'il prenait son livre ; en sorte qu'à cinq ans, il ne connaissait pas les lettres ; au lieu que Fatal lisait parfaitement et savait déjà écrire. Pour faire peur au prince, on commanda au maître de fouetter Fatal toutes les fois que Fortuné manquerait à son devoir ; ainsi, Fatal avait beau s'appliquer à être sage, cela ne l'empêchait pas d'être battu ; d'ailleurs, Fortuné était si volontaire et si méchant, qu'il maltraitait toujours son frère, qu'il ne connaissait pas. Si on lui donnait une pomme, un jouet, Fortuné le lui arrachait des mains ; il le faisait taire quand il voulait parler, il l'obligeait à parler quand il voulait se taire ; en un mot, c'était un petit martyr, dont personne n'avait pitié. Ils vécurent ainsi jusqu'à dix ans, et la reine était fort surprise de l'ignorance de son fils.

« La fée m'a trompée, disait-elle ; je croyais que mon fils serait le plus savant de tous les princes, puisque j'ai souhaité qu'il réussît dans tout ce qu'il voudrait entreprendre. » Elle fut consulter la fée sur cela qui lui dit :

« Madame, il fallait souhaiter à votre fils de la bonne volonté, plutôt que des talents ; il ne veut qu'être bien méchant, et il y réussit comme vous le voyez. »

Après avoir dit ces paroles à la reine, elle lui tourna le dos : cette pauvre princesse, fort affligée, retourna à son palais. Elle voulut gronder Fortuné, pour l'obliger à mieux faire ; mais, au lieu de lui promettre de se corriger, il dit que si on le chagrinait, il se laisserait mourir de faim. Alors la reine, tout effrayée, le prit sur ses genoux, le baisa, lui donna des bonbons, et lui dit qu'il n'étudierait pas de huit jours, s'il voulait bien manger comme à son ordinaire. Cependant le prince Fatal était un prodige de science et de douceur ; il s'était tellement accoutumé à être contredit, qu'il n'avait point de volonté, et ne s'attachait qu'à prévenir les caprices de Fortuné. Mais ce méchant enfant, qui enrageait de le voir plus habile que lui, ne pouvait le souffrir, et les gouverneurs, pour plaire à leur jeune maître, battaient à tous les moments Fatal. Enfin, ce méchant enfant dit à la reine, qu'il ne voulait plus voir Fatal, et qu'il ne mangerait pas qu'on ne l'eût chassé du palais. Voilà donc Fatal dans la rue, et comme on avait peur de déplaire au prince, personne ne voulut le recevoir. Il passa la nuit sous un arbre, mourant de froid, car c'était en hiver, et n'ayant pour son souper qu'un morceau de pain, qu'on lui avait donné par charité. Le lendemain matin, il dit en lui-même, je ne veux pas rester à rien faire, je travaillerai pour gagner ma vie jusqu'à ce que je sois assez grand pour aller à la guerre. Je me souviens d'avoir lu dans les histoires, que de simples soldats sont devenus de grands capitaines ; peut-être aurai-je le même bonheur, si je suis honnête homme. Je n'ai ni père, ni mère ; mais Dieu est le père des orphelins ; il m'a donné une lionne pour nourrice, il ne m'abandonnera pas. Après avoir dit cela, Fatal se leva, fit sa prière, car il ne manquait jamais à prier Dieu soir et matin ; et quand il priait, il avait les yeux baissés, les mains jointes, et il ne tournait pas la tête de côté et d'autre. Un paysan, qui passa, et qui vit Fatal, qui priait Dieu de tout son cœur, dit en lui-même, je suis sûr que cet enfant sera un honnête garçon ; j'ai envie de le prendre pour garder mes moutons. Dieu me bénira à cause de lui. Le paysan attendit que Fatal eût fini sa prière, et lui dit :

« Mon petit ami, voulez-vous venir garder mes moutons ? Je vous nourrirai, et j'aurai soin de vous.

— Je le veux bien, répondit Fatal, et je ferai tout mon possible pour vous bien servir. »

Ce paysan était un gros fermier, qui avait beaucoup de valets, qui le volaient fort souvent; sa femme et ses enfants le volaient aussi. Quand ils virent Fatal, ils furent bien contents:

«C'est un enfant, disaient-ils, il fera tout ce que nous voudrons.»

Un jour la femme lui dit:

«Mon ami, mon mari est un avare qui ne me donne jamais d'argent; laisse-moi prendre un mouton, et tu diras que le loup l'a emporté.

- Madame, lui répondit Fatal, je voudrais de tout mon cœur vous rendre service, mais j'aimerais mieux mourir que de dire un mensonge et être un voleur.

— Tu n'es qu'un sot, lui dit cette femme; personne ne saura que tu as fait cela.

— Dieu le saura, Madame, répondit Fatal; il voit tout ce que nous faisons, et punit les menteurs et ceux qui volent.»

Quand la fermière entendit ces paroles, elle se jeta sur lui, lui donna des soufflets, et lui arracha les cheveux. Fatal pleurait, et le fermier l'ayant entendu, demanda à sa femme pourquoi elle battait cet enfant.

«Vraiment, dit-elle, c'est un gourmand, je l'ai vu ce matin manger un pot de crème, que je voulais porter au marché.

— Fi, que cela est vilain, d'être gourmand», dit le paysan; et tout de suite il appela un valet, et lui commanda de fouetter Fatal. Ce pauvre enfant avait beau dire qu'il n'avait pas mangé la crème, on croyait sa maîtresse plus que lui. Après cela, il sortit dans la campagne avec ses moutons, et la fermière lui dit:

«Hé bien, voulez-vous, à cette heure, me donner un mouton?

— J'en serais bien fâché, dit Fatal, vous pouvez faire tout ce que vous voudrez contre moi, mais vous ne m'obligerez pas à mentir.»

Cette méchante créature, pour se venger, engagea tous les autres domestiques pour faire du mal à Fatal. Il restait à la campagne le jour et la nuit, et au lieu de lui donner à manger, comme aux autres valets, elle ne lui envoyait que du pain et de l'eau; et quand il revenait, elle l'accusait de tout le mal qui se faisait dans la maison. Il passa un an avec ce fermier; et quoiqu'il couchât sur la terre, et qu'il fût si mal nourri, il devint si fort, qu'on croyait qu'il avait quinze ans, quoiqu'il n'en eût que treize: d'ailleurs, il était devenu si patient, qu'il ne se chagrinait plus, quand on le grondait mal à propos. Un jour qu'il était à la ferme, il entendit dire qu'un roi voisin avait une grande guerre. il demanda congé à son maître, et fut à pied dans le royaume de ce prince, pour être soldat. Il s'engagea à un capitaine, qui était un grand seigneur; mais il ressemblait à un porteur de chaise, tant il était brutal; il jurait, il battait ses soldats, il leur volait la moitié de l'argent que le roi donnait pour les nourrir et les habiller; et sous ce méchant capitaine, Fatal fut encore plus malheureux que chez le fermier. Il s'était engagé pour dix ans, et quoiqu'il vît déserter le plus grand nombre de ses camarades, il ne voulut jamais suivre leur exemple; car il disait, «j'ai reçu de l'argent pour servir dix ans, je volerais le roi, si je manquais à ma parole». Quoique le capitaine fût un méchant homme, et qu'il maltraitât Fatal, tout comme les autres, il ne pouvait s'empêcher de l'estimer, parce qu'il voyait qu'il faisait toujours son devoir. Il lui donnait de l'argent pour faire ses commissions, et Fatal avait la clef de sa chambre, quand il allait à la campagne, ou qu'il dînait chez ses amis. Ce capitaine n'aimait pas la lecture, mais il avait une grande bibliothèque, pour faire croire à ceux qui venaient chez lui, qu'il était un homme d'esprit; car dans ce pays-là, on pensait qu'un officier qui ne lisait pas l'histoire, ne serait jamais qu'un sot et qu'un ignorant. Quand Fatal avait fait son devoir de soldat, au lieu d'aller boire et jouer avec ses camarades, il s'enfermait dans la chambre du capitaine, et tâchait d'apprendre son métier, en lisant la vie des grands hommes, et il devint capable de commander une armée. Il y avait déjà sept ans qu'il était soldat, lorsqu'il fut à la guerre. Son capitaine prit six soldats avec lui, pour aller visiter un petit bois: et quand il fut dans ce petit bois, les soldats disaient tout bas, «il faut tuer ce méchant homme, qui nous donne des coups de canne, et qui nous vole notre pain». Fatal leur dit qu'il ne fallait pas faire une si mauvaise action; mais au lieu d'écouter, ils lui dirent qu'ils le tueraient avec le capitaine, et mirent tous les cinq l'épée à la main. Fatal se mit à côté de son capitaine, et se battit avec tant de valeur, qu'il tua lui seul quatre de ces soldats. Son capitaine, voyant qu'il lui devait la vie, lui demanda pardon de tout le mal qu'il lui avait fait; et ayant conté au roi ce qui lui était arrivé, Fatal fut fait capitaine, et le roi lui fit une grosse pension. Oh, dame, les soldats n'auraient pas voulu tuer Fatal, car il les aimait comme ses enfants; et, loin de leur voler ce qui leur appartenait, il leur donnait de son propre argent, quand ils faisaient leur devoir. Il avait soin d'eux, quand ils étaient blessés, et ne les reprenait jamais par mauvaise humeur. Cependant on donna une grande bataille, et celui qui commandait l'armée ayant été tué, tous les officiers et les soldats s'enfuirent; mais Fatal cria tout haut, qu'il aimait mieux mourir les armes à la main, que de fuir comme un lâche. Ses soldats lui crièrent qu'ils ne voulaient point l'abandonner, et leur bon exemple ayant fait honte aux autres, ils se rangèrent autour de Fatal, et combattirent si bien, qu'ils firent le fils du roi ennemi prisonnier. Le roi fut bien content, quand il sut qu'il avait gagné la bataille, et dit à Fatal qu'il le faisait général de toutes les armées. Il le présenta ensuite à la reine et à la princesse sa fille, qui lui donnèrent leurs mains à baiser. Quand Fatal vit la princesse, il resta immobile. Elle était si belle, qu'il en devint amoureux à devenir fou, et ce fut alors qu'il fut bien malheureux; car il pensait qu'un homme comme lui, n'était pas fait pour épouser une grande princesse. Il résolut donc de cacher soigneusement son amour, et tous les jours il souffrait les plus grands tourments: mais ce fut bien pis, quand il apprit que Fortuné, ayant vu un portrait de la princesse, qui se nommait Gracieuse, en était devenu amoureux, et qu'il envoyait des ambassadeurs pour la demander en mariage. Fatal pensa mourir de chagrin: mais la princesse Gracieuse, qui savait que Fortuné était un prince lâche et méchant, pria si fort le roi son père, de ne la point forcer à l'épouser, qu'on répondit à l'ambassadeur, que la princesse ne voulait point encore se marier. Fortuné, qui n'avait jamais été contredit, entra en fureur, quand on lui eut rapporté la réponse de la princesse: et son père, qui ne pouvait lui rien refuser, déclara la guerre au père de Gracieuse, qui ne s'en embarrassa pas beaucoup; car il disait, «tant que j'aurai Fatal à la tête de mon armée, je ne crains pas d'être battu». Il envoya donc chercher son général, et lui dit de se préparer à faire la guerre: mais Fatal, se jetant à ses pieds, lui dit qu'il était né dans le royaume du père de Fortuné, et qu'il ne pouvait pas combattre contre son roi. Le père de Gracieuse se mit fort en colère, et dit à Fatal qu'il le ferait mourir, s'il refusait de lui obéir; et qu'au contraire, il lui donnerait sa fille en mariage, s'il remportait la victoire sur Fortuné. Le pauvre Fatal, qui aimait Gracieuse à la folie, fut bien tenté; mais à la fin, il se résolut à faire son devoir, sans rien dire au roi ; il quitta la cour et abandonna toutes ses richesses. Cependant Fortuné se mit à la tête de son armée, pour aller faire la guerre ; mais au bout de quatre jours, il tomba malade de fatigue ; car il était fort délicat, n'ayant jamais voulu faire aucun exercice. Le chaud, le froid, tout le rendait malade. Cependant, l'ambassadeur, qui voulait faire sa cour à Fortuné, lui dit qu'il avait vu à la cour du père de Gracieuse, ce petit garçon qu'il avait chassé de son palais ; et qu'on disait que le père de Gracieuse lui avait promis sa fille. Fortuné, à cette nouvelle, se mit dans une grande colère, et aussitôt qu'il fut guéri, il partit pour détrôner le père de Gracieuse, et promit une grosse somme d'argent à celui qui lui amènerait Fatal. Fortuné remporta de grandes victoires, quoiqu'il ne combattît pas lui-même ; car il avait peur d'être tué. Enfin, il assiégea la ville capitale de son ennemi, et résolut de faire donner l'assaut. La veille de ce jour, on lui amena Fatal, lié avec de grosses chaînes, car un grand nombre de personnes s'étaient mises en chemin pour le chercher. Fortuné, charmé de pouvoir se venger, résolut, avant de donner l'assaut, de faire couper la tête à Fatal, à la vue des ennemis. Ce jour-là même, il donna un grand festin à ses officiers, parce qu'il célébrait son jour de naissance, ayant justement vingt-cinq ans. Les soldats qui étaient dans la ville, ayant appris que Fatal était pris, et qu'on devait dans une heure lui couper la tête, résolurent de périr, ou de le sauver ; car ils se souvenaient du bien qu'il leur avait fait, pendant qu'il était leur général. Ils demandèrent donc permission au roi de sortir pour combattre, et cette fois, ils furent victorieux. Le don de Fortuné avait cessé ; et comme il voulait s'enfuir, il fut tué. Les soldats victorieux coururent ôter les chaînes à Fatal, et dans le même moment, on vit paraître en l'air deux chariots brillants de lumière. La fée était dans un de ces chariots, et le père et la mère de Fatal étaient dans l'autre, mais endormis. Ils ne s'éveillèrent qu'au moment où leurs chariots touchaient la terre, et furent bien étonnés de se voir au milieu d'une armée. La fée alors s'adressant à la reine, et lui présentant Fatal, lui dit :

« Madame, reconnaissez dans ce héros votre fils aîné ; les malheurs qu'il a éprouvés, ont corrigé les défauts de son caractère, qui était violent et emporté. Fortuné, au contraire, qui était né avec de bonnes inclinations, a été absolument gâté par la flatterie, et Dieu n'a pas permis qu'il vécût plus longtemps, parce qu'il serait devenu plus méchant chaque jour. Il vient d'être tué ; mais, pour vous consoler de sa mort, apprenez qu'il était sur le point de détrôner son père, parce qu'il s'ennuyait de n'être pas roi. »

Le roi et la reine furent bien étonnés, et ils embrassèrent de bon cœur Fatal, dont ils avaient entendu parler fort avantageusement. La princesse Gracieuse et son père apprirent avec joie l'aventure de Fatal, qui épousa Gracieuse, avec laquelle il vécut fort longtemps dans une parfaite concorde, parce qu'ils s'étaient unis par la vertu.

Table des matières

Achevé d'imprimer en Italie par Grafica Veneta
en janvier 2015
Dépôt légal octobre 2013
EAN 9782290080474
OTP L21ELLN000593C002

—

Ce texte est composé en Lemonde journal et en Akkurat

—

Conception des principes de mise en page :
mecano, Laurent Batard

—

Composition : PCA

—

ÉDITIONS J'AI LU
87, quai Panhard-et-Levassor, 75013 Paris
Diffusion France et étranger : Flammarion

Librio

1090